U0064556

A FIELD GUIDE TO WILD FLOWERS OF TAIWAN IN AUTUMN & WINTER

台灣野花365天 秋冬篇

撰文◎張蕙芬．張碧員　攝影◎呂勝由　插畫◎陳一銘．傅蕙苓

台灣野花365天　秋冬篇

《目錄》

秋天的野花……6～99

冬天的野花…100～191

淺山郊野　秋涼涼的
走在林邊　山芙蓉的花朵　一叢叢的粉與白
閒情的鳥兒最愛高踞枝頭
看野花的果實
著了什麼顏色　長著什麼形狀

秋天的野花

細葉金午時花

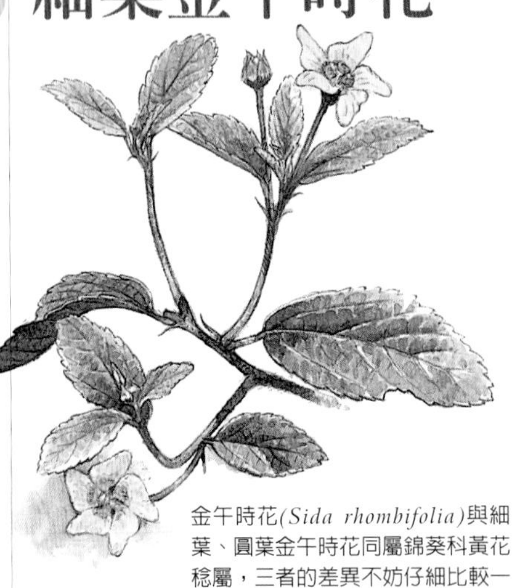

金午時花(*Sida rhombifolia*)與細葉、圓葉金午時花同屬錦葵科黃花稔屬，三者的差異不妨仔細比較一下。

細葉金午時花是所有台灣原產的黃花稔屬(*Sida*)植物當中，植株高度最高的，加上細瘦的莖和狹窄的葉片，以及滿株顯眼的黃花或黃白花，遠遠地就可以辨識出它。

它的生長勢極強，一旦佔了路旁或荒廢地，很快就會成爲優勢植物，成片聚生，其他植物根本沒有一席之地。它的花通常在早上開始綻放，到了中午左右完全盛開；過午便凋謝，花朵大概只有半天的壽命。不過因爲植株上的花朵數目龐大，所以讓人覺得一直有花在開，根本不會注意到花的壽命如此短促。

金午時花有5片黃色花瓣，中央的雄蕊筒是錦葵科的典型特徵。

細葉金午時花

科別：錦葵科
學名：*Sida acuta*
英名：narrow-leaved sida
別名：嗽血仔草、地索仔、柑仔密、黃花稔
類型：多年生亞灌木
植株大小：50～150cm高
生育環境：荒廢向陽地、路邊、農地
花期：6～9月

莖與葉片
莖的特徵：多分枝，莖直立或呈橫臥狀
毛：全株光滑無毛
托葉：線狀披針形，約為葉柄的2～3倍長
葉的特徵：葉披針形，長3～5cm，邊緣呈鋸齒狀，淡綠色，互生

花朵
著生位置：腋生，單生或雙生
類型：雌雄同株
大小：徑1.3cm
顏色：淡黃色
花莖：細長，中央部位有節，長0.4～1.2cm
花被：花萼綠色，5片；花瓣上部離生，中央以下癒合
雄蕊：雄蕊多數，上部離生，基部連成筒狀，著生於花瓣上
柱頭：6～9枚

果實
型態：蒴果
大小：徑約4mm

圓葉金午時花

圓葉金午時花與細葉金午時花最容易分辨的特徵，一是葉片的形狀，其二則是植株上的毛。圓葉金午時花可說是多毛的植物，幾乎全株各個部位都覆滿了毛茸，因此對惡劣環境的適應力也特別強，例如日照強烈的海邊或貧瘠的荒地都不難發現它的蹤跡。

黃花稔屬的植物都有「見光開花」的特性，陽光越強，它們綻放得越燦爛，所以千萬不要在陰天出外尋訪金午時花，深鎖的花苞需要陽光才能打開花朵美麗的容顏。

圓葉金午時花的果實上有兩個具倒刺的長芒，除了藉助海風、海潮的傳播外，還可附著在人畜身上，因此繁殖力極強，在新竹以南的海邊、荒地到處可見。

圓葉金午時花

科別：錦葵科
學名：*Sida cordifolia*
英名：heart-leaved sida
別名：金午時花、心葉黃花稔
類型：直立半灌木草本
植株大小：50～100cm高
生育環境：中南部荒地、路旁、海邊、空曠地以及小琉球、澎湖
花期：夏～秋

莖與葉片
莖的特徵：小枝上有星狀毛茸
毛：全株覆蓋毛茸，星狀毛與長毛混生
托葉：絲狀，約為葉柄長的一半
葉的特徵：互生，卵形，先端鈍，鈍鋸齒緣，兩面被有星狀粗毛，柄長達13cm

花朵
著生位置：腋生，單朵或2～5朵簇生
類型：雌雄同株
顏色：金黃色
花莖：花梗長4～15mm
花被：花萼有星芒狀短柔毛；花瓣5，卵圓形
雄蕊：多數
柱頭：8～10枚
子房：有星狀毛

果實
型態：蒴果，平圓形，有2長芒，芒上有倒刺
大小：徑6～8mm

山地豆

山地豆的葉片外形有點類似花生（俗稱土豆）的葉子，因此又叫做山土豆。它大多蔓生在荒廢地或草叢間，不開花的時候是很不起眼的，但是只要時間一到（入夏之後），鮮明的紫紅花一一伸出，才讓人恍然大悟，原來山地豆躲藏在這裡。

最近山地豆的水土保持功效開始受到重視，主要是因為其主根極深，有根瘤菌共生，可改良土壤，而且又有向四周蔓延生長的特性，更重要的是，它是台灣原生的野生植物，推廣栽培之後不致造成如外來植物的後遺症。

山地豆的莢果上有腺毛，可以黏附在人畜身上，十分有利種子的傳播，這也是山地豆拓展其領域的利器之一。

山地豆的扁筒狀莢果，4～7節，有腺毛，花萼宿存。以節間斷裂為其開裂方式。

山地豆

科別：豆科
學名：*Alysicarpus vaginalis*
英名：alyce clover
別名：煉莢豆、山土豆、土豆舅
類型：多年生草本
植株大小：1～1.5m 高
生育環境：荒廢向陽地、草原和路旁
花期：7～9月

根、莖與葉片
莖的特徵：直立或斜上生長，分枝多，木質化
根的特徵：主根極深，有根瘤菌共生
毛：全株有濃密粗毛
托葉：有成對托葉，乾膜質，具條紋
葉的特徵：有兩種類型，橢圓形和長披針形，前者長在基部、後者生於頂端，互生

花朵
著生位置：腋出或頂生，總狀花序
類型：雌雄同株
大小：6㎜長
顏色：紫紅色
花莖：長，但單朵花則幾乎無柄
花被：萼片齒狀深5裂；花冠蝶形
雄蕊：9＋1枚之二體雄蕊
柱頭：膨大，伸出花外
子房：圓柱形，密佈長毛

果實
型態：莢果，扁筒狀，有腺毛，4～7節，花萼宿存
大小：1.5～2㎝長

疏花塔花

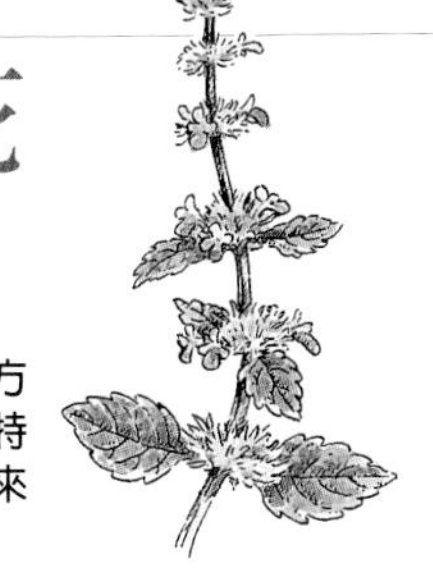

塔花屬的小花排列方式是最容易辨識的特徵，整個花序看起來就像層層的花塔。

疏花塔花在分類上屬於唇形科塔花屬(*Clinopodium*)，此拉丁字的原意是「傾斜的小腳」，藉以形容其花萼筒的形狀，但並不十分容易望文生義。

事實上，這一屬最大的特徵是花的排列，許多小花密集生長在同一地方，而往上或往下等距離的地方又有相同的多數小花密集生長，因此整個花序看起來就像是一層層的花塔，十分美麗。花朵雖小，但數大便是美，加上特殊的排列方式，確實讓人過目不忘。

疏花塔花

科別：唇形科
學名：*Clinopodium laxiflorum*
類型：多年生草本
植株大小：20㎝高
生育環境：平地至低海拔地區
花期：7～9月

莖與葉片

莖的特徵：莖細長
毛：全株除了葉子之外，均披有粗毛
葉的特徵：對生，卵形至寬卵形，光滑，小葉脈明顯，葉背有腺點，葉柄有毛

花朵

著生位置：腋生或頂生，輪狀聚繖花序
苞片：線形苞片
類型：雌雄同株
大小：9～10㎜
顏色：紅紫色
花莖：短
花被：萼片筒狀；花瓣2唇，上唇3裂，下唇2裂，喉部膨大
雄蕊：4枚
柱頭：不平均2裂，花柱長
子房：卵圓柱形

果實

型態：堅果，倒卵圓形

象草

由熱帶非洲引入台灣的象草，原本是供牧草之用，但因十分適應台灣的氣候和生長環境，如今在市區的荒廢地、河床、耕地或路旁，都很容易找到象草的蹤跡。

象草的花序長而多毛，是鄉間孩童最喜歡的植物童玩材料之一，可以當作毛毛蟲嚇人，也有人喜歡採集其花穗，回家作乾燥花材，不過象草的剛毛本領較差，當花穗逐漸成熟，小花陸續掉落之後，它們也跟著掉光，所以美麗的花序沒有辦法維持太久。另一種同屬禾本科的狗尾草（不是紫草科的狗尾草）則比較適合作乾燥花材，它花序上的剛毛即使在花穗乾枯之後，也不會掉落，非常適合採集美化之用。

象草

科別：禾本科
學名：*Pennisetum purpureum*
英名：napier grass
別名：狼尾草
類型：多年生草本
植株大小：高可達3m
生育環境：平地至中海拔1500m山區之河床、耕地、路旁、荒廢地
花期：5～9月

莖與葉片
莖的特徵：莖稈扁平、直立
葉的特徵：葉片大，長達60㎝，葉舌由纖毛構成，葉鞘光滑

花朵
著生位置：頂生，圓錐花序
類型：雌雄同株
大小：15㎝（花序）
顏色：黃褐色
花莖：長
花被：每一小穗有2朵小花
雄蕊：3枚，花藥頂端有毛

果實
型態：穎果，橢圓形

龍船花

龍船花在中國大陸內地的開花期正好在端午節左右，此即其名稱的由來，不過在台灣卻幾乎全年都看得到它開花，春末至深秋是其盛花期。

龍船花開花鼎盛，花大如盤，加上鮮豔無比的深紅色彩，在野外很容易就構成視覺的焦點。最容易辨識的特徵是其特長的雄蕊，長長伸出花外，約爲花冠筒的兩倍長。

民間傳說龍船花是不吉祥的花，誰碰了它就會倒霉、發瘋，所以又被稱爲「瘋婆花」。但是其白花變種卻因爲珍貴療效而被採擷一空，所以野外所見幾乎全部都是紅色花的種類。

龍船花

科別：馬鞭草科
學名：*Clerodendrum paniculatum*
英名：scarlet glorybower
別名：瘋婆花、鼓子花
類型：小灌木
植株大小：80～180㎝高
生育環境：平原荒野、丘陵地之遮蔭樹林及灌叢，台中以南尤其常見
花期：4～10月

莖與葉片
莖的特徵：枝條四稜形
毛：全株光滑
葉的特徵：廣卵形至卵狀心形，常作3～5淺裂，尾端尖，有長柄

花朵
著生位置：頂生大型圓錐花序
苞片：線狀
類型：雌雄同株
大小：花大如盤
顏色：深紅色
花被：花萼深裂；花冠不整齊，5裂
雄蕊：4枚，為花冠筒的2倍長

果實
型態：核果球形，成熟後碧黑色，花萼宿存
大小：徑約0.7㎝

野慈姑

野慈姑喜歡溫暖的陽光和潮濕的水分，不論是在水田、稻田或灌溉溝渠以及野外的沼澤地，都很容易找到它。野慈姑最容易辨識的特徵不外乎箭形的葉片、長長的葉柄和白色的小花，尤其是葉片的形狀讓人印象最深刻。下次再遇見它，可別和天南星科的芋葉混爲一談。

野慈姑常被種稻的農民視爲討厭的雜草，除之唯恐不及，其實它的嫩葉及小球莖都是可食的野菜，味道不錯，而在中藥上更是有用的解毒、利尿劑。

野慈姑

科別：澤瀉科
學名：*Sagittaria trifolia*
英名：arrow head
別名：水芋仔、剪刀草、野茨菰、三腳剪
類型：多年生草本
植株大小：30～60㎝高
生育環境：低海拔水田、沼澤地、溝渠或池塘
花期：6～9月

莖與葉片
莖的特徵：具有走莖，末端膨大為小球莖，莖很短
葉的特徵：根生，具長柄，10～40㎝，葉片箭形而呈三叉狀，柄基部呈鞘狀

花朵
著生位置：總狀花序著生於花莖先端，花序上半部為雄花、下半部為雌花，一節3朵花
苞片：披針形
類型：雌雄同株異花，單性花
大小：徑2.2㎝
顏色：白色
花莖：30～70㎝長，花莖由葉叢中伸出
花被：外輪花被3枚，萼片狀，卵形內凹；內輪花被3枚，花瓣狀，闊卵形
雄蕊：雄花有雄蕊多數，花藥黃色
柱頭：雌花雌蕊多數

果實
型態：多數小瘦果組成綠色的聚合果，瘦果斜卵形，背腹兩面有翼，前端有短喙
大小：0.8～1.2㎝

咬人貓

咬人貓的長相猙獰，是非常名副其實的有毒植物。全身上下密佈針刺毛（stinging hair，又稱焮毛），一副「最好別碰我」的嚇阻模樣，一旦觸及皮膚，針刺毛上的蟻酸會讓人產生灼熱的疼痛感，和遭蜂螫沒兩樣，而且往往要數小時或一、兩天，疼痛感才會逐漸消失。

由於咬人貓在陰濕的山林間分佈很廣，為了避免被刺傷，最好切記它的模樣，而且避免走到陰濕的地方。萬一不幸被咬人貓咬了一口，只有用阿摩尼亞液或尿液塗擦才能減輕疼痛。

雖然有毒，但若取其新鮮的葉片搗汁，可敷治毒蛇咬傷，同時嫩葉煮熟後亦可食用，所以也是很有用的野外求生植物。

雌花　雄花

雌雄同株異花的咬人貓。雌花的柱頭宛如刷子狀，雄花有4枚雄蕊，兩者的花被均為4枚。花朵很小，宜用放大鏡觀察。

咬人貓

科別：蕁麻科
學名：*Urtica thunbergiana*
英名：nettle
別名：蕁麻
類型：多年生草本
植株大小：70～120cm高
生育環境：低至高海拔的陰暗潮濕林下，十分常見
花期：7～9月
莖與葉片
莖的特徵：直立，細長，綠色，有尖銳針刺毛
毛：全株被有尖銳的針刺毛
托葉：4，癒合成一對，綠色，闊卵圓形
葉的特徵：有柄，對生，闊卵形或卵圓形，葉柄及葉片上均著生刺毛，葉緣複鋸齒
花朵
著生位置：穗狀花序，頂生或腋生
類型：雌雄同株異花，單性花
顏色：雄花，綠白色；雌花，綠色
花被：雄花在花序的下半部，花被4枚；雌花在花序上方，花被亦4枚
雄蕊：4枚
柱頭：刷子狀
子房：1
果實
型態：瘦果，卵圓形，綠色

狗尾草

住在新竹以北的人，大概不容易看到狗尾草，因為它大多活躍在本省的中、南部及東部一帶。狗尾草的花十分特殊，只呈單向開放，由下方開始綻放，而且所有的小花都著生在花軸的一側，整個聚繖花序可長達17公分以上，同時末端捲曲如蠍尾狀，非常好看，也是植物學上難得一見的活教材。

狗尾草喜歡陽光和鹼性土壤，大多生長在低海拔丘陵草地上或荒廢向陽地。其嫩莖葉可食，但水燙後須再經浸水，以去其酸味；此外全草皆可入藥，其成分經動物實驗有抗癌作用。

狗尾草與雙花龍葵（請見春夏篇88頁）均又名耳鉤草，但兩者差距很大，請仔細辨明，不要混為一談。此外，禾本科也有叫狗尾草的種類，兩者是完全不同的植物。

狗尾草

科別：紫草科
學名：*Heliotropium indicum*
英名：wild heliotropium
別名：耳鉤草、蟾蜍草、金耳墜、大尾搖、肺炎草
類型：一年生草本
植株大小：30～60cm
生育環境：低海拔闊葉林下、路旁、荒廢地，中南部及東部十分常見
花期：5～9月

莖與葉片
莖的特徵：莖直立，多分枝
毛：全株密生剛毛
葉的特徵：互生，匙狀卵形，兩面被毛，葉片皺縮，長5～10cm；葉柄有翼，與葉片等長，3～10cm

花朵
著生位置：頂生，蠍尾狀聚繖花序
類型：雌雄同株
大小：17cm長（花序）
顏色：淡藍紫或白色
花被：花萼5片，深裂，被毛；花冠高腳碟狀，5淺裂
雄蕊：5枚
柱頭：環狀金字塔形
子房：4室

果實
型態：廣卵形，內有2個瓣狀分果
種子：每一分果2室，一室內2粒種子

穗花山奈

穗花山奈的別名很多，其中「野薑花」是大家最爲熟悉的。這種純白的香花植物，人見人愛，但它的花朵構造恐怕沒有幾個人能夠分辨清楚。

穗花山奈的花期很長，從春末一直開到初冬，盛開時彷若水邊的蝴蝶仙子，在枝梢翩翩展現。首先，其潔白寬闊的瓣片並不是眞的花瓣，而是變異的瓣化雄蕊，成爲整朵花的焦點所在。反之，眞正的花瓣和花萼十分平淡無奇，而花朵中心部位的長形棒狀物，則是可孕性雄蕊與雌蕊的結合體。

穗花山奈的嫩芽及花朵皆可食用，有特殊香氣，不論煮湯或炒食，均會讓人滿口清香。

穗花山奈的花朵構造奇特，值得仔細觀察。

雄蕊與雌蕊的結合體
花藥
柱頭
花瓣
瓣化雄蕊
萼片

穗花山奈

科別：薑科
學名：*Hedychium coronarium*
英名：butterfly ginger
別名：野薑花、蝴蝶薑、白蝴蝶花、立苡
類型：多年生草本
植株大小：高1.2～2m
生育環境：低海拔山區、平地，尤其喜成片長於水邊
花期：5～12月

莖與葉片
莖的特徵：地下莖肥厚如薑，多數叢生
毛：全株光滑無毛，葉背有毛
葉的特徵：互生，具長葉鞘，葉片長橢圓形或長橢圓狀披針形，長30～50cm

花朵
著生位置：穗狀花序，花朵密生
苞片：大型苞片，長橢圓形
類型：雌雄同株
大小：長7cm（花冠筒）
顏色：純白色
花莖：從葉叢先端伸出長花莖
花被：花萼綠色，圓柱形，比苞片短；花冠裂片線形反捲，上瓣2枚，唇瓣2枚
雄蕊：雄蕊、花柱、柱頭合生，假雄蕊長橢圓形，呈花瓣狀

果實
型態：蒴果長橢圓形，無毛，橘黃色，三瓣裂
種子：赤紅色

木鼈子

木鼈子的奇特名稱是源自種子扁圓如鼈甲，其特徵與瓜科植物類似，同爲雌雄異株的單性花，只有雌株才會結出豔紅如火的果實，不過因爲種子有毒而且又有特殊的臭味，所以成熟的果實純粹只可供觀賞。

木鼈子的花朵碩大，雄花的花梗長，頂端又有大型苞片，與花梗較短、只有小型苞片的雌花，相當容易區分。雖然漂亮的熟果不能食用，但其嫩莖葉和未熟的青果，皆是相當可口的野菜菜肴。以往恆春半島上的排灣族便常取其果肉拌飯吃，據說滋味香甜可口，而且膨大的塊根也常被拿來充當肥皂的代用品，供洗衣之用。

木鼈子

科別：瓜科
學名：*Momordica cochinchinensis*
英名：wooden tortoise, cochinchina gourd
別名：臭屎瓜、木別子、狗屎瓜
類型：多年生蔓性藤本
植株大小：不定
生育環境：中低海拔地區（1200m以下）之次生灌叢、平地，南部較常見
花期：6～9月

根、莖與葉片

莖的特徵：攀緣性，多分枝，蔓爬性強，莖有縱稜，卷鬚粗壯
根的特徵：膨大的塊根
毛：全株大多光滑無毛
葉的特徵：互生，闊卵心形，多汁紙質，3～5深裂，6～15㎝長

花朵

著生位置：於葉腋單生
苞片：有毛，雄花有大型苞片，雌花則為小型苞片
類型：雌雄異株，單性花
大小：徑6～8㎝
顏色：奶油白色，花瓣基部為黑色
花莖：雄花，5～15㎝長；雌花，2～5㎝長
花被：花瓣鐘狀，5枚；萼片深裂，革質，有毛
雄蕊：3枚
子房：密生刺狀突起

果實

型態：瓜果，熟時呈鮮紅，肉質，上有突出的軟質突刺
大小：10～15㎝長
種子：量多，卵形或不規則狀，扁平，1.8～2㎝長，有毒

白英

白英與龍葵（請見170頁）一樣同屬茄科茄屬植物，花形類似，但白英的花朵是更顯眼的紫色，而且葉片的形狀也大相逕庭，白英的提琴狀葉片似乎更容易辨識。

這種生長在闊葉林下的蔓性野生草本植物，近來由於抗癌藥性的研究而聲名大噪，根據國外的研究資料，白英可以精確而有效地抑制癌細胞的生長，但是完全不會影響正常的細胞。植物的藥理研究領域是十分富潛力的，特別是針對目前我們仍束手無策的癌症、愛滋病等，白英的研究成果無非是十分正面的鼓舞。

白英

科別：茄科
學名：*Solanum lyratum*
英名：poisonberry
類型：多年生蔓性草本
生育環境：低海拔闊葉林下
花期：7～11月

莖與葉片
莖的特徵：柔軟，蔓性
毛：全株被有細柔毛
葉的特徵：互生，提琴狀，卵形至長卵圓形，基部有2裂片

花朵
著生位置：二出聚繖花序，多花，有毛
類型：雌雄同株
顏色：紫色
花被：萼片5淺裂，裂片基部有2個紫色斑點
雄蕊：5，花藥鮮黃色，伸出花外
子房：圓球形

果實
型態：漿果，熟時鮮紅色，未熟果有毒
大小：徑8㎜

杜虹花

杜虹花的雄蕊長長伸出花外，約為花朵的三倍長，再搭配末端的鮮黃色花藥，十分容易辨識。

數量眾多的杜虹花在分類上屬於馬鞭草科紫珠屬，紫珠屬的主要特徵是果實小、紫色成串，而杜虹花的紫色果團正是夏末至初冬野外最醒目的景致之一，由於果團的壽命較花朵長了許多，因此成為插花者的上好花材。此外，杜虹花的果實也是許多鳥類的重要食物來源，當我們剪取果枝時，可別忘了留下足夠小鳥果腹的果實數量。

杜虹花的花雖小，但它們深諳「團結就是力量」的道理，當數十朵至數百朵聚生一起，它們的美是不容忽視的。而最奇特的是，杜虹花的雄蕊長長伸出花外，足足為花朵的三倍長，再搭配上末端的鮮黃色花藥，眞是美不勝收，而這等野外美景會從初春一直延續至初秋。

杜虹花

科別：馬鞭草科
學名：*Callicarpa formosana*
英名：formosan beauty-berry
別名：燈黃、台灣紫珠、粗糠仔、毛將軍
類型：常綠灌木
植株大小：1.5～5m
生育環境：低海拔闊葉林下次生灌叢、次生林
花期：3～9月

莖與葉片
莖的特徵：多分枝，粗糙質感
毛：全株披褐色星狀毛茸
葉的特徵：葉對生，長橢圓形或闊卵形，鋸齒狀葉緣，毛紙質

花朵
著生位置：聚繖花序，腋生，花朵多數
類型：雌雄同株
大小：2㎜（花冠筒長）
顏色：淡紫紅色或粉紅色
花莖：1.5～2.5㎝長
花被：萼片4淺裂，呈三角狀，有毛；花冠管狀
雄蕊：4，長長伸出花被之外
柱頭：粗大，長長伸出花被之外
子房：球形，不完全2室

果實
型態：球形核果，成熟呈紫色，肉質
大小：徑約3㎜
種子：4粒

林投

林投是台灣最爲常見的海岸植物，生長在海岸林的最前線，成群聚生，或與草海桐（請見春夏篇173頁）、黃槿混生，組成優勢的海岸灌叢群落，此外它在沙灘上也常落腳，是很好的防風定沙植物，素有海邊的「綠色長城」之美稱。

林投的葉片排列十分特殊，呈螺旋狀，若將其銳刺去除，撕成細條狀，就成爲編織草帽的最佳素材。林投的雄花外覆芳香的佛焰苞片，常引來無數蜜蜂，它的花粉也是蜜蜂幼蟲的美食。印度人常將濃烈芳香的雄花丟入水井中，好讓井水的味道更好，而印度菜或香水也常使用雄花的白色苞片所萃取出來的香油。在台灣則常有人取食林投的果實和嫩莖葉，尤其莖頂芽梢的滋味彷如春筍般美味。

林投

科別：露兜樹科
學名：*Pandanus odoratissimus* var. *sinensis*
英名：thatch pandanus, screwpine
別名：露兜樹、假波羅、中華榮蘭
類型：灌木
植株大小：3～5m高，也有高至10m
生育環境：海濱及近海之平野與山坡地
花期：7～9月

莖與葉片

莖的特徵：莖多分枝，分枝約2～3㎝粗，有氣生根，具明顯輪狀葉痕
葉的特徵：葉於枝端螺旋狀著生，彎曲下垂，長披針形，60㎝長，邊緣及先端之中肋有尖刺

花朵

著生位置：頂生
苞片：佛焰苞片白色，芳香
類型：雌雄異株，單性花
顏色：雄花淡黃白色，雌花綠色
花莖：5㎝長，粗壯
花被：雌花密生成頭狀；雄花多數密集成圓錐花序，苞片白色
雄蕊：多數
柱頭：直立、宿存

果實

型態：聚合果，球形，熟時呈紅黃色，有60～80個核果
大小：8～11㎝長

山林投

山林投是林投的表親，並不是林投的變異個體，因爲它們兩者是同科（露兜樹科）但不同屬的植物，可別因爲中文名稱只差一個字，就混淆不清了。

露兜樹科的家族只有兩個屬，一是直立屬，以林投爲代表，另一則是蔓性屬，以山林投爲主要種類，台灣很幸運地同時擁有這兩種不同類型的露兜樹，值得大家好好仔細觀察其間的差異。

山林投以淡金海岸、北海岸及基隆、龜山島等北部海岸爲主要分布地帶，花朵非常芳香，可提煉香料作芳香劑之用。

山林投

科別：露兜樹科
學名：*Freycinetia formosana*
別名：山露兜、林投舅、台灣蔓露兜
類型：多年生藤本
植株大小：10m 高
生育環境：北部海邊及恆春半島、台東等地
花期：7～9月

莖與葉片
莖的特徵：分枝徑粗2～3cm，有氣根
葉的特徵：強韌如皮革，線狀披針形，60cm長，基部及尖端的葉緣有尖銳鋸齒，葉背中肋有銳刺

花朵
著生位置：肉穗花序2～4，呈總狀排列，頂生
苞片：佛焰苞片大而顯著
類型：雌雄異株，單性花
大小：總梗長10cm，徑2cm
顏色：佛焰苞黃色
花莖：5cm長，粗短
花被：無花被，雌花穗3～5串簇生在堅硬的總梗上
雄蕊：雄花的雄蕊數個，花絲短
柱頭：多數
子房：1室、多數

果實
型態：聚生果圓柱形，有無數核果
大小：8～11cm長，核果徑1cm
種子：多數

合萌

合萌的節莢果有4～8節，以每一節斷裂的方式傳播種子。

合萌的花朵以上方的旗瓣最醒目，尤其基部的紅褐色斑點，應與昆蟲傳粉機制有關。

合萌的外形乍看之下，與假含羞草（請見44頁）、含羞草（請見45頁）很像，爲了驗明正身，以手掐一下莖部，它的小葉會紛紛向內側合併，但它是含羞草嗎？再仔細看一下花朵，是典型的豆科蝶形花冠，而且是黃色的，如此一來，即可確知它既不是假含羞草，也不是含羞草，而是合萌。

合萌除了葉片的閉合運動之外，在光線微弱或黑夜的情況下，也會行睡眠運動。其節莢果光滑無毛，而且斷裂時是一節節橫裂，以使種子順利脫落，這種方式與含羞草完全不同，不妨比較一下這兩者的節莢果。

合萌的花朵以上方的旗瓣最耀眼，尤其基部的紅褐色斑點更是醒目，此應與其吸引昆蟲前來傳粉的機制有關。

合萌

科別：豆科
學名：*Aeschynomene indica*
別名：田皀角
類型：一年生草本
植株大小：30～120cm高
生育環境：平地潮濕開闊地，如水田或河岸等
花期：8～9月

莖與葉片
莖的特徵：直立，分枝多，莖上部中空
毛：全株光滑，有稀毛
托葉：披針形，1cm長，會脫落
葉的特徵：羽狀複葉，小葉20～30對，線形或長形

花朵
著生位置：腋生，1～4朵花組成總狀花序
苞片：葉片狀
類型：雌雄同株
大小：8mm長
顏色：黃色
花莖：不長
花被：萼片2唇，上唇全緣或2裂，下唇3裂；花冠蝶形，旗瓣最大，基部有紅褐色斑點
雄蕊：9＋1枚的二體雄蕊
柱頭：毛狀
子房：1室，長線形

果實
型態：節莢果，直線形或稍捲曲，有4～8節
大小：1～3cm長

孟仁草

外來的歸化植物孟仁草，原產東南亞熱帶地區或熱帶美洲，由於適應力極強，引入台灣之後便迅速擴展族群，所到之地無不構成顯著的群聚現象。

根據研究發現，孟仁草的存在與人類的干擾息息相關，在鄉間道路或是經常除草、踐踏之處，只要短時間暫停干擾，孟仁草很快就會佔據大部分面積，並抽穗開花，一旦干擾再次發生，之後它仍可捲土重來。反之，若該地區不再有人爲干擾，孟仁草雖可短暫存在，但終將被其他的高草種類或灌木所取代。植物群落的演替就是如此有趣，孟仁草便因爲人類助其一臂之力，而得以到處衍生落腳，這樣的生存策略確實讓人刮目相看。

孟仁草

科別：禾本科
學名：*Chloris barbata*
英名：peacock-plume grass
別名：紅拂草
類型：一年生草本
植株大小：30～60㎝高
生育環境：近海岸之沙地或向陽旱地，中南部常見成片生長
花期：6～11月

根、莖與葉片

莖的特徵：莖直立，基部呈地毯狀，具分稈，節處可生根
根的特徵：鬚根
葉的特徵：長線形，紙質，灰綠，葉長4～20㎝，葉鞘光滑，兩側具龍骨

花朵

著生位置：穗狀花序7～13枚簇生於莖頂，呈指狀
類型：雌雄同株
大小：每花穗長4～8㎝
顏色：紫紅色
花莖：小花無花梗，花序的花莖長，由葉鞘伸出
花被：每一小穗有3朵小花，最基部的小花是完全花

果實

型態：穎果，紡錘形，成熟呈褐色
大小：2㎜長

裂葉月見草

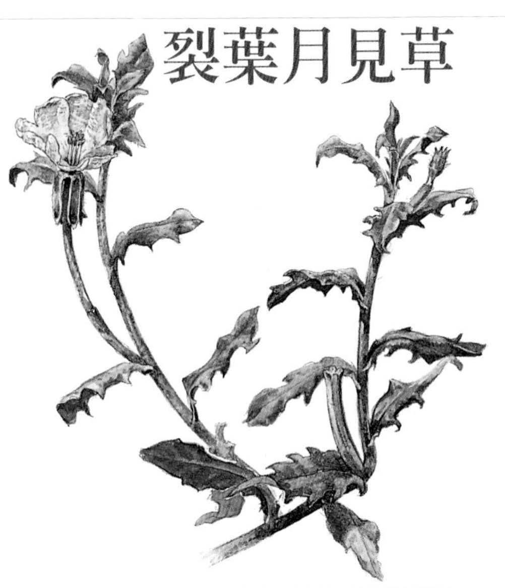

裂葉月見草的另一別名「待宵草」，清楚地說明它開花的特性。與一般花朵完全不同，月見草的花朵在太陽下山之後才快速綻放，若湊巧在旁，將可親眼目睹它的花瓣打開，同時萼片也向後反捲，這是月見草十分典型的開花行為。

月見草的花朵有類似芸香科（如柑橘）的香氣，而其鮮黃花色在月色下更是晶瑩剔透，彷彿暗夜中的發光體，可吸引許多夜行性蛾類。每一朵花的壽命僅只一夜而已，到了晨曦微露的清晨，它便逐漸凋謝。

月見草的花朵壽命僅只一夜而已，花朵在太陽下山後綻放，萼片向後反捲。

裂葉月見草的花瓣4枚，倒心形，有8枚雄蕊，柱頭4裂。

裂葉月見草

科別：柳葉菜科
學名：*Oenothera speciosa*
英名：American oenothers
別名：美國月見草、待宵草
類型：多年生草本
植株大小：80～100cm高
生育環境：海濱沙地常見
花期：6～9月

根、莖與葉片
莖的特徵：直立，被毛
根的特徵：主根發達，接近木質化
毛：莖上有毛，葉片兩面亦有白色短柔毛
葉的特徵：互生，披針形，邊緣具不整齊疏鋸齒

花朵
著生位置：單生於葉腋，於夜間開放
類型：雌雄同株
大小：3cm
顏色：鮮黃色
莖：無
花被：萼片4，開花時兩片相連，反捲；花瓣4，倒心形
雄蕊：8枚，等長
柱頭：4裂
子房：下位

果實
型態：圓柱形蒴果，略具四鈍稜
大小：長2～3cm
種子：榨油可食

薊罌粟

原產西印度群島的薊罌粟，當初因其觀賞價值而由日本人於西元1911年引入台灣，如今早已成功地在台灣落地生根，自行繁衍於澎湖、台東和恆春半島的海邊。

鮮黃色的花朵搭配深紅色的柱頭（位於花朵中心部位），實在是巧奪天工的大自然傑作，也是最容易辨識的特徵。此外，多刺的莖和葉片末端的針刺，都是讓人印象深刻的特徵。

薊罌粟全株有毒，但因其猙獰多刺的外表，根本不可能發生人畜誤食的中毒事件。不過若誤食種子或種子油，一樣會引起嘔吐、腹瀉、全身皮膚強烈疼痛，因此只有在中醫師的藥方下，才能以種子油爲瀉劑，或以其汁液洗滌結膜炎，千萬不可自行貿然使用。

薊罌粟

科別：罌粟科
學名：*Argemone mexicana*
英名：Mexican poppy, prickly poppy
別名：老鼠艻
類型：一年生草本
植株大小：50～100cm高
生育環境：沙岸沿海地帶或是向陽荒廢地、路旁，尤以台東、恆春海邊最常見
花期：6～9月

莖與葉片
莖的特徵：直立，莖、葉有黃色乳汁，莖上有銳刺
毛：全株無毛，被白粉
葉的特徵：葉片無柄，長卵圓形或披針狀卵圓形，葉緣羽狀深裂，長有針刺，兩面被白粉

花朵
著生位置：單生
類型：雌雄同株
大小：2～3cm長
顏色：鮮黃色
花莖：花朵無柄或花莖很短
花被：萼片3枚，綠色；花瓣卵圓形，6枚
雄蕊：多數
柱頭：深紅色，3～6裂

果實
型態：蒴果，有角狀溝，外覆尖銳剛毛，成熟後3～6瓣裂
大小：2.5～4cm長
種子：多數，有網狀稜紋，黑色

菁芳草

中低海拔的山區裡，菁芳草是最典型的陰濕地區指標植物，只要有一大片菁芳草群生的地方，一定不是「濕」就是「陰」。所以若要尋找所謂的「陰性植物」，不妨先找出菁芳草的定位，則其周遭混生的植物便是陰性植物。

菁芳草的花朵很小，綠白色，非常不起眼，但平凡的外表一點都不妨礙它的生存，在它的小花梗上長有黏性腺毛，同時花梗柔弱易斷，所以只要人畜輕輕拂過，菁芳草的花序或果實便可順利搭上便車，對其族群拓展和種子的傳播非常有利。下次在陰濕的林下遇見菁芳草，不妨試試它的奇妙設計，也有助於瞭解植物種子傳播的重要性。

菁芳草

科別：石竹科
學名：*Drymaria cordata* subsp. *diandra*
英名：cordate drymary
別名：荷蓮豆草、水藍青、對葉蓮
類型：多年生草本
生育環境：中低海拔闊葉林下，路邊亦可見
花期：8～9月

莖與葉片
莖的特徵：莖多分枝，呈散開狀
毛：小花梗上有腺毛
托葉：膜質，絲狀裂，早落
葉的特徵：對生，具短柄，腎圓形，長0.5～2㎝

花朵
著生位置：腋生或頂生，成聚繖花序
苞片：花下有苞片襯托，長橢圓形，長1～2㎜
類型：雌雄同株
大小：徑4～8㎜
顏色：白綠色
花莖：小花梗細長，密佈腺毛
花被：萼片5片，長橢圓形；花瓣5片，深2裂，裂片狹長，較花萼短
雄蕊：3～5枚
柱頭：3裂

果實
型態：蒴果卵圓形或三角形，具梗
種子：1～數個，扁平圓形，有乳狀突起

倒地蜈蚣

倒地蜈蚣的長橢圓形莢果，包於宿存的萼片中，成熟時二開裂，釋出大量而細小的種子。

倒地蜈蚣的植株分枝外形宛如沿地爬行的蜈蚣，而葉著生的形態好比蜈蚣的百足，也因此被命名爲倒地蜈蚣。它看似纖細柔弱，但匍匐地面的莖節會長出發達的不定根，可以貼近地面，牢牢固定，即使是狂風暴雨，也難以將倒地蜈蚣連根拔起，這正是它的生存妙招。

倒地蜈蚣常生長在向陽的斜坡及比較潮濕的草地上，林中的步道小徑兩旁也常可見其生長。它的花朵與植株大小不成比例，不僅大而明顯，又加上鮮豔無比的藍紫花色，讓人很容易認識它。它的花冠唇形，但可別誤以爲是唇形科，事實上，倒地蜈蚣是玄參科的野花，全年都可開花，不過四至五月以及八至九月是其盛花期。

倒地蜈蚣

科別：玄參科
學名：*Torenia concolor* var. *formosana*
英名：Taiwan wishbone flower
別名：釘地蜈蚣、四角銅鐘、蜈蚣草
類型：一年生草本
植株大小：15～30㎝
生育環境：中低海拔(400～2500m)之林緣、路旁、田野
花期：2～9月

根、莖與葉片
莖的特徵：莖方形，下部匍匐，多分枝，柔軟
根的特徵：主根性，不定根發達，由莖節長出
毛：全株有稀疏細毛
葉的特徵：對生，卵形或卵狀心形，葉緣粗鋸齒，有短葉柄，紙質，長1～1.5㎝

花朵
著生位置：腋出，有單生或呈擬繖形花序
類型：雌雄同株
大小：2.5～3㎝長
顏色：深藍紫色
花莖：花梗長2.5～4㎝
花被：萼片長卵形，5裂；花冠唇狀，上唇2淺裂，下唇3裂
雄蕊：4枚，2長2短的2強雄蕊
柱頭：毛狀
子房：圓柱形，有盤狀底座，不完全2室

果實
型態：蒴果，長橢圓形，二開裂，熟時呈褐色，包於宿存的萼片內
大小：1㎝長
種子：數量多而小

長葉繡球

野生的繡球花在台灣有7種之多，散見於中低海拔的山野、林緣等，長葉繡球是其中之一，最顯著的特徵便是特長的葉片，呈長披針形，可長達14至20公分，因此很容易和其他的野生繡球花區分開來。

長葉繡球的花團比園藝品種的繡球花來得小，花朵的排列也比較稀疏，它的小花有兩種類型，一種是白色、大而顯眼的4片瓣狀物，其實這並不是眞的花瓣，而是由花萼膨大瓣化而成，因此沒有雄蕊和雌蕊；另一種小而不顯眼的才是眞正的花，不過因爲花瓣非常小而且容易脫落，所以根本不會引起注意。瓣化的花萼目的是爲了吸引昆蟲，好讓其貌不揚的小花順利結果，這便是野生繡球的小秘密。

長葉繡球

科別：虎耳草科
學名：*Hydrangea longifolia*
別名：長葉八仙花
類型：灌木
生育環境：低至中海拔山野、林下
花期：7～9月

莖與葉片
莖的特徵：分枝，有細絨毛
毛：莖、苞片有濃密細毛
葉的特徵：長披針形，薄膜質，14～20cm長，有柄

花朵
著生位置：頂生，聚繖花序
苞片：大，有濃密細毛
類型：雌雄同株
大小：9cm長、14cm寬（花序）
顏色：萼片白色；花瓣紅紫色
花莖：短
花被：4枚瓣化萼片，真正的花非常小
雄蕊：10枚
柱頭：3裂
子房：圓球形

果實
型態：蒴果，半球形，花柱宿存

一枝黃花

一枝黃花的名稱實在再貼切不過了，初夏之後上高山，很容易就可以在草原中看到一串串芥末黃的頭狀花緊緊地簇生在枝條頂端，十分搶眼。一枝黃花大多落腳於玉山箭竹叢間，主要是因爲其枝條柔軟、不耐強風，長在箭竹叢中可以受其保護。它的高度約與箭竹相同，到了花期才伸出長而耀眼的黃色花序。

一枝黃花在中藥方面應用廣泛，是十分有名的藥草和野外求生植物，一般多用於治療腎、膀胱和肺的疾病，是很好的化痰劑、利尿劑，也是溫和的鎮定劑。葉片及花朵可萃取黃色染料，葉片搗碎有特殊香氣，也可用來敷治傷口，幫助癒合並防止發炎感染。

一枝黃花

科別：菊科
學名：*Solidago virga-aurea* var. *leiocarpa*
英名：solidago,goldenrod
別名：柳枝黃
類型：多年生草本
植株大小：15～80cm高
生育環境：1800～3000m中高海拔高山草原、荒廢向陽地或石灰質山坡地
花期：6～10月

根、莖與葉片
莖的特徵：莖直立，單一或分枝，光滑或有細毛
根的特徵：主根系，根淺
毛：全株光滑或僅有疏毛
葉的特徵：互生，根生葉呈叢生狀，具柄，漸向上則葉片越小，幾乎無柄；葉形為卵形至短圓形，鋸齒緣或全緣，葉背灰綠色

花朵
著生位置：腋出，1～4朵頭狀花排列在短花梗上，形成繖房花序
苞片：狹長形
類型：雌雄同株
大小：1.2～1.5cm寬
顏色：黃色
花莖：由葉腋伸出花莖
花被：外圍舌狀花（雌花）；中央管狀花（兩性花），有萼片
柱頭：2裂，花柱長
子房：長卵形，1室，在花瓣以下

果實
型態：圓柱形之瘦果，具冠毛，成熟呈黑褐色
大小：4～4.5mm

玉山金絲桃

玉山金絲桃是台灣原生種，在分類上屬於金絲桃科金絲桃屬，這一屬植物最重要的特徵包括5片金黃色花瓣、多數細長的金黃色雄蕊花絲以及植株上的小腺點（分佈在葉片、花萼或花瓣上）。玉山金絲桃的葉片有透明腺點，葉緣還有一列黑色腺點，這些腺點多半會分泌特殊氣味的油脂類。

玉山金絲桃屬於陽性植物，對土壤要求不高，淺淺的土層即能生存，因此成爲高海拔山區裸露地、岩屑地或岩原上最常見的植物之一，而且多半以小面積的群落分佈。台灣著名的高山，如南湖大山、能高山、合歡山、奇萊山、大霸尖山、雪山等都很容易看到它，若剛好在夏、秋之際造訪這些美麗的山岳，不妨多留意一下玉山金絲桃的燦爛花朵。

玉山金絲桃

科別：金絲桃科
學名：*Hypericum nagasawai*
類型：多年生草本
植株大小：5～35㎝
生育環境：高海拔針葉林、次生草地、岩屑地(2000～3950m)
花期：6～9月

根、莖與葉片
莖的特徵：莖細長，稍呈方形，直立或稍匍匐狀
根的特徵：具主根及鬚狀之不定根，根上有紅色根瘤菌
葉的特徵：葉對生，無柄，長橢圓形或卵形，葉緣有一列黑色腺點

花朵
著生位置：頂生，單朵
類型：雌雄同株
大小：徑2～3㎝
顏色：金黃色
花莖：花梗長5～6㎜
花被：萼片及花瓣均為5枚，卵形或長橢圓狀倒卵形
雄蕊：多數，花絲細長
柱頭：3枚，花柱明顯
子房：3室，長橢圓狀卵形

果實
型態：蒴果，卵形或桃形，呈紅褐色，花柱宿存
大小：6～7㎜長
種子：1㎜長，黑褐色

玉山佛甲草

玉山佛甲草和玉山金絲桃一樣，同屬高山陽性植物，生長環境條件雷同，也同樣開出金黃燦爛的花朵。但玉山佛甲草盛放時似乎更勝一籌，只見成群成叢一片金黃，完全看不到綠色的植株，而這等燦爛美景往往都出現在特別貧瘠的高山向陽裸露地、岩屑地等，怎會不讓人打從心底由衷讚嘆？

玉山佛甲草在入冬之後，葉片會變紅、枯萎，來年春天就在枯萎植株的頂端再度長出淡紅色的嫩芽，葉如指甲般的形狀，緊密排列成覆瓦狀，表面極富光澤，莖、葉皆肥厚多汁。

玉山佛甲草的葉片可敷治創傷，若登山途中不小心受傷，可取其敷在傷口上，相當有效。

玉山佛甲草

科別：景天科
學名：*Sedum morrisonensis*
英名：morrisona sedum
別名：佛甲草、玉山景天
類型：多年生肉質草本
植株大小：8～20㎝
生育環境：高海拔2500～3900m 山區向陽裸露地、高山草原、岩屑地
花期：6～9月

莖與葉片
莖的特徵：基部多分枝，肥厚多汁
毛：全株光滑無毛
葉的特徵：互生，肉質線形或長橢圓狀披針形，新葉排成覆瓦狀

花朵
著生位置：頂生，聚繖花序
苞片：葉狀苞片
類型：雌雄同株
大小：徑1.2㎝
顏色：黃色
花莖：幾乎沒有花梗
花被：花多數，花瓣5，離生；萼片5
雄蕊：10枚，與花瓣同長
柱頭：針形
子房：5

果實
型態：蓇葖果，長橢圓形，紅色，9～12月果熟期
種子：長橢圓形，有不明顯尖突

玉山毛蓮菜

玉山毛蓮菜是高山陽性植物，陽光越強的地方，往往開得越盛，尤其以西向及西南向的高山山坡裸露地最適合它生長，生長環境條件與玉山佛甲草、金絲桃相去不遠。

玉山毛蓮菜最讓人好奇的地方是覆滿全身的紫紅色毛茸，用手去觸摸，會有種黏黏的感覺，原來是這些腺毛所分泌的腺液。若以放大鏡仔細觀察它的毛茸，會發覺其形狀類似英文字母的「T」字形，即先端寬而基部細，與一般植物的毛茸構造剛好相反，是十分少見的。這種形狀的毛茸以及它所分泌的腺液究竟有何作用，尚待進一步觀察、研究。

玉山毛蓮菜

科別：菊科
學名：*Picris hieracioides* subsp. *morrisonensis*
類型：一年生草本
植株大小：20～60㎝高
生育環境：高海拔山區(2500～3500m)次生草地
花期：8～11月

莖與葉片
莖的特徵：多細分枝，多毛，圓柱形
毛：全株被有紫紅色毛茸
葉的特徵：互生，線狀披針形，紙質，無柄，多長於莖的基部

花朵
著生位置：繖房花序，腋生或頂生
苞片：有剛毛，2～3列心形苞片包覆在頭狀花外圍
類型：雌雄同株
大小：1～1.1㎝
顏色：深黃色
花莖：3～7㎝長（花序），每一頭狀花的花梗極短
花被：雌性舌狀花，邊緣5淺裂；中央為兩性管狀花
柱頭：2裂，花柱長
子房：1室

果實
型態：瘦果，紡錘形，紅棕色或褐色，冠毛有短刺，長5～6㎜
大小：4㎜長，徑1～2㎜

玉山筷子芥

玉山筷子芥是最容易觀察到的高山野花，北起南湖大山，南至北大武山，不論潮濕或乾燥的山區，都找得到玉山筷子芥的蹤影，有人說：「有高山必有玉山筷子芥。」，倒是一點都不誇張的。

玉山筷子芥的花期很長，從春天一直開到初秋，花朵的數目極多，開花的順序是由花序基部往上開，而且開花時間與果實成長期相隔甚短，因此往往在同一株玉山筷子芥上可以看到花、果共存的現象。此外，4片十字對生的花瓣是十字花科植物最典型的特徵，記住這一點，就不難辨識出這一科的成員了。

玉山筷子芥

科別：十字花科
學名：*Arabis morrisonensis*
類型：多年生草本
植株大小：莖高10～25㎝
生育環境：2500～3950m 高海拔高山草原、裸露地、林緣、灌叢
花期：4～9月

莖與葉片
莖的特徵：莖有分枝，多走莖，基部半木質化
毛：莖、葉均被細毛
葉的特徵：根生葉，柄長，羽狀裂，有星狀毛；莖生葉，小且呈倒披針形

花朵
著生位置：頂生，總狀花序
類型：雌雄同株
大小：長6～8㎜
顏色：白色
花莖：花梗長1～2㎝
花被：每朵花4片花瓣十字對生，具爪狀物

果實
型態：線形長角果，淡褐色
大小：長3～4㎝
種子：長橢圓形，數量多

玉山水苦蕒

玉山水苦蕒也是常見的高山陽性植物，開起花來同樣聲勢浩大、有聲有色，特別是它的花形和花色，在以黃色系、白色系爲主的高山野花裡，顯得格外出色耀眼。

水苦蕒的花多半爲淡藍或淡紫，花冠4裂，略呈不整齊狀，後方最大者爲闊卵形，先端鈍，側生裂片中型大小，而前方裂片則最小，還有2枚雄蕊著生在花冠的喉部。另一種低海拔地區常見的台北水苦蕒（請見134頁）也是這種花形。

玉山水苦蕒的果實成熟後仍留在枯枝上隨風搖曳，內有許多小型的卵形種子，極具擴展性，非常容易借助外力傳播各地，因此高海拔陽光強烈的裸露地、岩屑地多半可以發現玉山水苦蕒。

玉山水苦蕒

科別：玄參科
學名：*Veronica morrisonicola*
類型：多年生草本
植株大小：長10～20㎝
生育環境：2600～3950m 高海拔地區之岩屑地、碎石坡、裸露地
花期：6～9月

莖與葉片
莖的特徵：匍匐，有毛茸，節上常生不定根
毛：全株被有毛茸
葉的特徵：對生，舌狀披針形，鋸齒緣，無柄，1.5～2.5㎝長

花朵
著生位置：6～12朵花構成總狀花序，腋生
苞片：線形，長4～6㎜
類型：雌雄同株
大小：徑5～7㎜，花序長9～12㎝
顏色：淡紫～淡藍色
花莖：細長，5㎝長，有毛茸（花序之花莖）；小花花梗長3～5㎜
花被：花冠闊卵形，先端4裂；萼片5裂，有毛
雄蕊：著生於花冠喉部，2枚
子房：有毛茸，扁圓形

果實
型態：蒴果，扁圓形或倒心形，有2個溝紋，熟時呈紅褐色
大小：6㎜長
種子：卵形，數量多

南湖大山蒿草

南湖大山蒿草是台灣特有的珍稀植物，只分佈在南湖大山圈谷區至山頂一帶，即海拔三千五百公尺的高山草原。由於生長地點深受局限，因此數量並不多，一直列名於台灣稀有植物之中。

南湖大山蒿草與玉山蒿草（*Pedicularis ikomai*，請見春夏篇161頁）非常相似，而且在高山山頂發現的族群外形也有所變異，尚待進一步研究。

南湖大山蒿草

科別：玄參科
學名：*Pedicularis nanfutashanensis*
類型：多年生草本
植株大小：30cm高
生育環境：3500m以上的南湖大山高山草原
花期：7～9月

莖與葉片
莖的特徵：有毛，分枝多，基部簇生狀
毛：莖、花梗、葉背及萼片均被有茸毛
葉的特徵：對生，長卵圓形，1～2cm長，羽狀深裂，葉背有白毛，小葉4～5片花朵
著生位置：頂生穗狀或總狀花序，由2～6朵小花組成
苞片：線形，6～10mm長
類型：雌雄同株
大小：3cm長
顏色：紫紅色
花被：萼片筒形，2裂，裂片橢圓形輪狀排列；唇形花冠，呈長筒狀，輪狀排列呈上下二唇，下唇瓣圓3裂，上唇呈兜形喙頂，齒裂
雄蕊：4枚，2長2短的2強雄蕊
子房：2室

果實
型態：蒴果，褐色，扁平，圓或橢圓，有突出的喙狀構造
種子：多數，長形，具縱紋

南湖附地草

南湖附地草屬於陰性植物，通常生長在潮濕的岩壁或岩屑地上，尤其以東向、北向及東北向山坡最容易發現它們。夏季是其盛花期，數量繁多的小白花簇生在植株頂端，遠遠望去宛如片片雪花。9月底已近花期尾聲，取而代之的是倒角錐形的堅果正逐漸成熟。

南湖附地草是台灣少數僅存的原生寒原植物之一，十分珍貴，由於生長環境條件所限，其分佈範圍和數量也受到很大的限制，目前只有在南湖大山及雪山山頂的灌叢林緣或潮濕的岩屑地，才能找到它們的蹤跡。

南湖附地草

科別：紫草科
學名：*Trigonotis nankotaizanensis*
類型：多年生草本
植株大小：10～20㎝高
生育環境：3000m以上南湖大山及雪山的矮盤灌叢林緣、較陰濕的岩屑地
花期：6～9月

莖與葉片
莖的特徵：向上斜長
毛：全株有細毛
葉的特徵：長橢圓形，長1～2㎝，全緣，兩面有短剛毛

花朵
著生位置：頂生，總狀花序，花小而多數
類型：雌雄同株
大小：0.4㎝長
顏色：白色
花莖：花梗長2～6㎜
花被：萼片杯狀，5裂，外被綿毛，內有粗毛；花冠管狀，5裂，裂片半圓形
雄蕊：5枚，花絲短，不露出花冠外
柱頭：截形
子房：扁圓球形，4室

果實
型態：小堅果4，光滑，倒角錐形，褐色
大小：徑1.5㎜

野棉花

野棉花是典型的平地路邊植物之一，通常這些成群聚生在路旁的植物，都可以好好觀察它們的種子傳播方式。像野棉花的果實不僅密生星狀毛，還長有傘狀的倒鉤，非常容易附著在人畜身上而傳播各處，因此野棉花的分佈非常廣泛，從平地到低海拔，只要人跡所至，皆可發現野棉花。

野棉花過去是廣泛種植的經濟作物，因爲其莖皮富含纖維，可加工製作繩索或織麻布，後來人造纖維取而代之，再也沒有人願意栽種野棉花，它便自行逸出，到荒地、路旁落腳。野棉花耐旱、不耐蔭，喜濕熱，適應力極強，其嫩葉是可食的野菜，不過採擷它的同時，野棉花也會要求人們爲它盡盡傳播種子的義務。

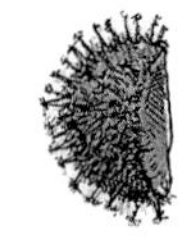

野棉花的果實不僅密生星狀毛，還長有傘狀的倒鉤，非常容易附著在人畜身上。

野棉花

科別：錦葵科
學名：*Urena lobata*
英名：cadillo, lobate wild cotton
別名：毯母草、肖梵天花、毯母子
類型：小灌木
植株大小：1m高
生育環境：平地荒廢向陽地、路旁及低海拔地區
花期：夏～秋季

莖與葉片
莖的特徵：直立生長
毛：全株均覆有星狀毛
托葉：線形或披針形，早落性
葉的特徵：葉片變異很大，從圓形、卵形到線形均有，葉柄長2～4cm，互生

花朵
著生位置：單生，有時2～3朵叢生，腋出
苞片：總苞片5枚，基部合生，被長星狀毛
類型：雌雄同株
大小：長1.5cm
顏色：粉紅色
花莖：3mm長，有毛
花被：萼片5枚，基部有毛；花瓣5枚，倒卵形
雄蕊：粉紅色，多數，雄蕊筒與花瓣約等長
柱頭：膨大，多數
子房：5室

果實
型態：外覆星狀毛，有鉤刺，蒴果，成熟4分裂
大小：徑1cm

黃花鼠尾草

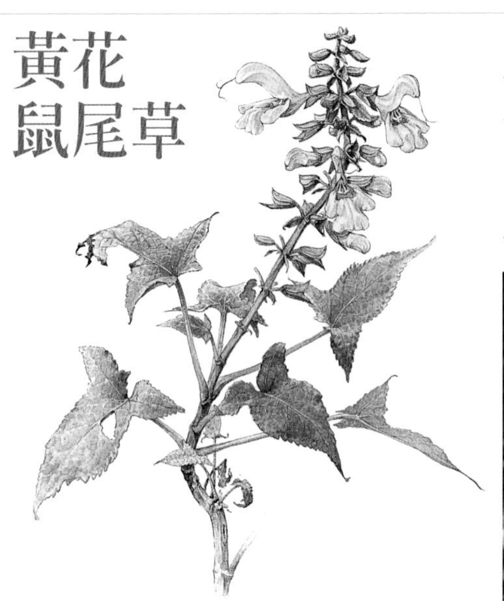

在分類上，黃花鼠尾草究竟是台灣特有種，還是與日本的種類同種，至今尚未有定論，其他如台灣山菊（請見59頁）、台灣胡麻花（請見春夏篇58頁）亦有類似的分類疑問，均待植物學家進一步確認。

黃花鼠尾草是台灣野生植物中極富觀賞價值的一種，論其姿色，一點都不輸給園藝植物的一串紅，甚至它的金黃花色也是園藝植物中少見的漂亮，只可惜長久以來一直不曾受到重視。9、10月正是它的盛花期，陽明山國家公園的步道旁或林下，都很容易看到黃花鼠尾草搖曳生姿，不妨仔細欣賞一下它的美姿吧！

黃花鼠尾草

科別：唇形科
學名：*Salvia nipponica* var.*formosana*
別名：台灣日紫參
類型：一年生草本
植株大小：60㎝高
生育環境：低海拔地區，北部較常見
花期：9～11月

莖與葉片
莖的特徵：方形，基部匍匐，斜上生長
毛：全株有毛
葉的特徵：葉有柄，細長，約10㎝長，幼葉卵形，成熟葉為特殊的犁頭形，葉緣細鋸齒

花朵
著生位置：輪生聚繖花集合成頂生的總狀花序
苞片：卵圓形
類型：雌雄同株
大小：15㎝長（花序）
顏色：黃色
花莖：有疏毛，4～6㎜長
花被：萼片管狀；花冠唇形，有腺點，上唇瓣2裂，下唇瓣3裂
雄蕊：2枚，在花瓣內側
柱頭：2裂

果實
型態：瘦果卵圓形，光滑，有3稜
大小：2㎜長

杜若

在分類上屬於鴨跖草科的杜若，如果只看它的花序和花朵，並不容易與其他鴨跖草科的植物聯想在一起，但它的葉片卻清楚地洩露了它身分的秘密，典型的鴨跖草科葉片，一目了然。

其實，杜若的花朵同樣也藏著鴨跖科植物的秘密——花瓣的數目爲3或3的倍數，而杜若的花萼及花瓣確實均爲3枚。下次在低海拔闊葉林下發現杜若時，不妨仔細數數它的花瓣，也想想大自然的奇妙數學遊戲。

杜若

科別：鴨跖草科
學名：*Pollia japonica*
類型：多年生草本
生育環境：1000m以下低海拔山區闊葉林下
花期：8～10月

莖與葉片
莖的特徵：莖直立
葉的特徵：葉互生，葉鞘抱莖，全緣，中肋明顯，葉卵形至長橢圓形

花朵
著生位置：頂生，圓錐花序
類型：雌雄同株
顏色：白色
花被：萼片及花瓣均為3枚
雄蕊：6枚
子房：3室

果實
型態：蒴果，3室
種子：種子有稜角

商陸

洋商陸(*Phytolacca americana*)與商陸同屬商陸科商陸屬，不過其莖及葉柄、花莖常帶紫紅色，漿果扁球形，為著名的有毒植物和藥材。

商陸在分類上屬於商陸科商陸屬的植物，這一屬植物爲歷史悠久的藥草，長久以來，民間常以此屬的幼葉當菜，認爲有利尿之效，而外敷則可治癰腫。

詩經中「言采其蓫」，所謂「蓫」便是指商陸，此外神農本草經中也收載商陸，並已知其爲有毒藥材。明朝李時珍在本草綱目中更進一步以莖皮顏色與花色來分辨商陸屬植物的毒性強弱。

商陸的藥用部位是乾燥的地下根，加鹽搗碎可以敷治一切腫毒，是民間常用的藥方。其地下根雖有毒，但並無任何人畜中毒的事件發生，反而在法國，曾有人因使用商陸的熟果作爲葡萄酒的色素，而引起嘔吐、下痢。

洋商陸的花冠白色或淡粉紅色，雄蕊10枚，雌蕊心皮綠色。

商陸

科別：商陸科
學名：*Phytolacca japonica*
英名：formosan poke，formosan scoke
別名：台灣商陸、見腫消、金七娘
類型：多年生草本
植株大小：1.5m高
生育環境：北、中及東部山區闊葉林下陰濕地區
花期：8～10月

莖與葉片
莖的特徵：莖剛直，多汁，綠色或紫紅色
根的特徵：根肥大肉質，圓錐形，外皮淡黃色
毛：全株光滑無毛
葉的特徵：葉長12～25㎝，互生，橢圓形，卵形或披針形，葉緣波狀

花朵
著生位置：腋生，總狀花序
苞片：線形
類型：雌雄同株
大小：長20㎝（花序），小花徑8㎜
顏色：白色後轉為粉紅色
花莖：花梗短
花被：萼片及花瓣5枚
雄蕊：8～10枚，花藥淡粉紅色
柱頭：柱頭短捲
子房：6～8室

果實
型態：漿果，紫黑色，扁球形
種子：腎臟形，薄而黑

綿棗兒

綿棗兒雖是百合科植物，但花朵的長相卻與大家所熟知的百合花相去甚遠。整個植株最明顯的特徵是長20至40公分的花莖，花莖上著生由粉紅小花所組成的總狀花序，不過花序的長度卻不及花莖的一半。由於花序上的小花是由下往上開放，因此花序常呈現奇特的戟形，十分好認。此外，綿棗兒的葉片通常只有2片，呈披針狀線形，也是另一個最容易記住的特徵。

綿棗兒

科別：百合科
學名：*Scilla sinensis*
別名：地棗子
類型：多年生草本
植株大小：高約40cm
生育環境：北部海拔700m以下的山區闊葉林下或開闊地、海邊
花期：8～11月

莖與葉片
莖的特徵：地下鱗莖卵球形，2～3cm長，外層鱗片黑色
毛：全株光滑無毛
葉的特徵：通常2片，披針狀線形，10～25cm長，光滑，肉質

花朵
著生位置：總狀花序，由多數小花組成
苞片：線形或窄披針形，薄膜質
類型：雌雄同株
大小：3～4mm長（單朵），花序長不到花莖的一半
顏色：紫色或粉紅色
花莖：直立，20～40cm長，光滑
花被：6枚，倒披針形或窄披針形
雄蕊：6枚，花絲有毛，花藥黃色，伸出花外
柱頭：小，呈頭狀
子房：3室，倒卵形，基部有柄

果實
型態：蒴果，倒卵形
大小：5mm長
種子：長橢圓形，亮黑色

台灣野薄荷

台灣野薄荷與普遍的薄荷很容易區分，它的植株比較高大，分枝多，花朵很小而且生長在枝條的頂端，是陽性植物，特別喜歡生長在陽光充沛的路旁、開闊地等。

台灣野薄荷全株具芳香薄荷味，可作爲薄荷代用品。爬山疲勞時，不妨摘一些野薄荷的葉片，揉一揉，用鼻子嗅一嗅，有提神解勞的功能。在野外遭蚊蟲叮咬腫痛，也可將野薄荷的葉片敷在叮咬處，很快就會痛癢全消；而露營過夜時，不妨找些乾枯的野薄荷植株加以焚燒，可以有效地驅逐蚊蟲。這樣的野生植物實在是熱愛野外活動者的最佳伙伴。

台灣野薄荷

科別：唇形科
學名：*Origanum vulgare* var.*formosanum*
類型：一年生草本
植株大小：70㎝高
生育環境：陽光充足的開闊地、路旁或岩屑地，由低海拔至高海拔皆見分布
花期：6月～11月

莖與葉片
莖的特徵：四方形，有毛，分枝多，莖紅色，芳香
毛：全株有細毛
葉的特徵：葉柄有毛，葉片卵形，全緣，兩面披毛，有腺點，對生

花朵
著生位置：頂生，密錐花序
苞片：葉狀苞片，橢圓形或卵形
類型：雌雄同株
大小：長5～8㎜
顏色：粉紅、紫紅或粉白色
花莖：花莖很短
花被：萼片鐘形，5齒裂，有毛及腺點；花冠筒狀唇形，外側及喉部有稀毛，2唇裂
雄蕊：4枚，著生於花冠上並伸出花外
柱頭：不整齊2裂
子房：光滑

果實
型態：卵圓形，光滑，小堅果，紅褐色
大小：0.5㎜寬

假含羞草

乍看之下，宛如含羞草的假含羞草，奇怪，怎麼碰它卻一動也不動，再細看它的黃色花朵和莢果，也和含羞草（請見下頁）的紫紅花朵和節莢果完全不同。不過，任何人的固定反應還是會忍不住碰它一下的。

假含羞草別名「山扁豆」和「茶豆」，其嫩葉及芽可做茶的代用品，種子有藥效，可健胃、利尿和消腫，根葉則可解毒、治下痢，同時假含羞草也和許多豆科植物一樣，是很好的綠肥作物。

假含羞草的鮮黃色花朵過午即凋謝。

假含羞草

科別：豆科
學名：*Cassia mimosoides*
英名：tea senna, mountain flat-bean
別名：山扁豆、茶豆、黃瓜香
類型：一年生或多年生草本
植株大小：高30～45㎝
生育環境：海邊至低海拔山地向陽的荒地、開闊地
花期：秋～冬季

莖與葉片
莖的特徵：直立，分枝捲曲、下垂
托葉：大，線形，不脫落
葉的特徵：葉一回偶數羽狀複葉，小葉30～60對，狹線形或線形，呈鐮刀狀，先端尖銳、有短尖突

花朵
著生位置：腋生，1～3朵花成總狀花序
類型：雌雄同株
顏色：黃色或鮮黃色
花被：萼片黃色披針形，長5～6㎜；花冠蝶形
雄蕊：9＋1枚的二體雄蕊

果實
型態：莢果，線狀披針形，扁平，密佈茸毛
大小：1.5～3.5㎝長
種子：12～25粒

含羞草

含羞草原產熱帶美洲，1645年間由荷蘭人引入台灣，目前已遍佈全省，是十分成功的歸化植物之一。

含羞草最有名的葉片運動，讓它成為生物課本的最佳植物教材之一，也是小朋友最喜歡的植物朋友。仔細觀察含羞草的葉柄，其基部膨大成「葉枕」的構造，葉枕內充滿水液，一經外力碰觸，水液四散流失，於是每一小葉便紛紛下垂閉合，不過大約20分鐘之後又可恢復原狀。除了外力碰觸之外，任何風吹草動也會讓含羞草閉合下垂。

含羞草雖是豆科植物，但它的花和果都與其他豆科植物不同。它的莢果外形奇特，成熟時自節處斷開，只留下長滿刺毛的莢緣，是非常奇妙的「節莢果」。

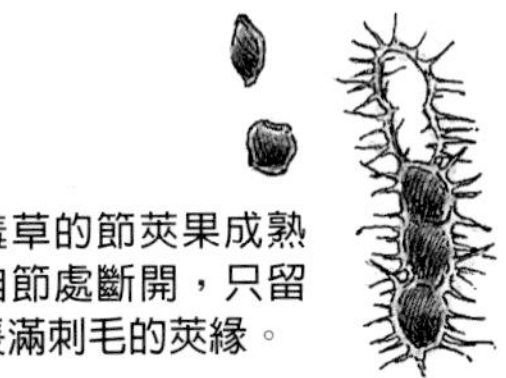

含羞草的節莢果成熟時自節處斷開，只留下長滿刺毛的莢緣。

含羞草

科別：豆科
學名：*Mimosa pudica*
英名：sensitive plant, humble plant
別名：見笑草、怕癢花、懼內草
類型：多年生草本
植株大小：10～60㎝高
生育環境：全省路旁、空地、草生地、河邊或海邊，尤以台中以南最為常見
花期：春末～仲秋

莖與葉片
莖的特徵：枝散生倒刺毛和銳刺
毛：全株生有毛茸和銳刺
葉的特徵：2回羽狀複葉，有羽片2～4個，呈掌狀排列，每個羽片有小葉14～48片，邊緣及葉脈有刺毛，碰觸即閉合下垂

花朵
著生位置：圓球狀頭狀花序2～4個生於葉腋
類型：雌雄同株
大小：花序徑約1.5㎝
顏色：粉紅色或紫紅色
花莖：長
花被：花瓣4裂，基部合生，外有短柔毛；花萼不明顯
雄蕊：4枚，伸出花瓣之外
柱頭：1
子房：無毛

果實
型態：節莢果，邊緣有刺毛，2～4莢節，每莢節含種子一粒
種子：闊卵形

青葙

花形與雞冠花十分雷同的青葙，原產熱帶亞洲，現在台灣到處可見，不過有趣的是，生長在台南以北的青葙，花色大多是紫紅色，而台南以南及各離島則大多只見白花品種，這兩種花色的青葙在地理分佈上似乎有明顯的區隔。

青葙的種子又名「青葙子」，是著名的民間藥，煎服有清肝、明目及強壯的效用，宜在秋冬之際採收。而幼苗、嫩葉也可炒食、煮湯或煮粥，不過最好在春、夏季採擷，以免植株老化而無法食用。此外，青葙的花序也是很好的乾燥花花材，因為其花被原本就呈乾膜質狀，所以無需額外處理，是最好的天然乾燥花。

青葙

科別：莧科
學名：*Celosia argentea*
英名：feather cockscomb
別名：野雞冠、雞冠莧、草決明
類型：一年生草本
植株大小：30～100cm高
生育環境：荒廢地、平地、村落路旁、農墾旱地等
花期：春末～深秋
莖與葉片
莖的特徵：單莖或有分枝，直立
毛：全株光滑無毛
葉的特徵：互生，披針形或卵形，長4.5～15cm，全緣，有柄花朵
著生位置：頂生或腋生，穗狀花序呈披針形或直立圓柱狀
苞片：苞片1枚，小苞片2枚，呈乾膜質
類型：雌雄同株
大小：花序長5～8cm，小花長0.6cm
顏色：白或紫紅色
花被：花被片5，披針形，乾膜質
雄蕊：5枚，基部合生成杯狀，包住子房
果實
型態：胞果球形，成熟後橫裂
大小：長3～4mm
種子：黑色具光澤，小粒，腎狀圓形

蝶豆

花大如蝶的蝶豆堪稱是野花中的明星，原產於南美洲，1920年引進台灣，原本作爲飼料和綠肥之用，如今早已馴化，到處可見。

蝶豆是典型的熱帶植物，日照越強，生長得越好，常見其攀附在灌木叢間，從仲春一直到仲秋，開花不斷，讓我們大飽眼福。它的葉片及花朵的萃取液，可作食品的染料，嫩葉、嫩莢及盛開的花朵均可炒食、油炸或煮湯，十分可口，但不宜過量食用。

蝶豆大型而耀眼的蝶形花早已備受植物育種學家的青睞，如今已有重瓣的園藝品系問世。

蝶豆

科別：豆科
學名：*Clitoria ternatea*
英名：kordofan pea
別名：羊豆、蝴蝶花豆
類型：多年生纏繞性草本
生育環境：向陽的荒地或平野、海濱，南部較常見
花期：仲春～深秋

莖與葉片
莖的特徵：攀緣性強
毛：全株有毛
托葉：小型，披針狀
葉的特徵：奇數羽狀複葉，小葉2～4對，紙質，長1～3cm

花朵
著生位置：腋生，單朵
苞片：2枚，短披針形
類型：雌雄同株
大小：花朵碩大
顏色：藍紫色或純白
花莖：很短
花被：花冠挺出，外圍的旗瓣特別大，中央有黃色斑點，將翼瓣及龍骨瓣包圍在中央；花萼筒狀，5裂
雄蕊：多數雄蕊的花絲合生成雄蕊筒

果實
型態：莢果扁平，長線形
種子：6～10粒，近黑色

黃荊

全株充滿特異香氣的黃荊，取其嫩枝葉，揉而嗅之，將讓人畢生難忘。事實上，這種野生植物與我們的關係頗爲悠久，古時以黃荊的枝條作刑杖之用，而貧窮的婦女也以黃荊作首飾，即所謂的「荊釵」。台灣縣志很早即記載：黃荊有「五葉、七葉兩種，七葉者能療行人中暑之症，取其嫩葉食之，或揉其汁縛臍間，無不立驗。」

黃荊的果實在中藥名爲「牡荊子」，煎服可治感冒、頭痛和神經痛，此外，根、枝葉及幹均可作藥用，根、葉洗淨曬乾，可泡茶飲用，是很好的袪風、發汗劑。其莖材質優良，莖皮可造紙及人造棉，枝條可作防蚊的燃料。

黃荊

科別：馬鞭草科
學名：*Vitex negundo*
英名：negundo chastetree
別名：埔姜仔、不驚茶、牡荊
類型：落葉性灌木
植株大小：高可達5m
生育環境：平野以及600m以下的山地，恆春半島的丘陵台地及小琉球有廣大族群
花期：夏～秋季

莖與葉片
莖的特徵：小枝方形，密生灰白色絨毛
毛：全株幼嫩部位有白色短柔毛
葉的特徵：對生，掌狀複葉，小葉通常5枚，也有3枚或6～7枚，披針形，全緣或疏鋸齒緣，長7cm

花朵
著生位置：頂生，圓錐花序，密披白毛
類型：雌雄同株
大小：小型
顏色：淡紫色
花被：花萼鐘形；花冠筒狀唇形，上唇2裂，下唇3裂
雄蕊：4枚，2長2短的2強雄蕊
柱頭：2裂
子房：4室

果實
型態：核果倒卵形或近於球形，成熟時黑色
大小：徑5mm

扛板歸

扛板歸的葉柄基部有圓形的托葉鞘構造，還有三角形的葉片及逆向生長的尖刺均是其招牌特徵。

扛板歸最容易辨認的特徵莫過於帶逆刺的莖、葉柄以及三角形的葉片，還有宛如袖珍葡萄串的奇特果序，讓人絕對無法錯認的。

扛板歸逆向生長的尖刺不僅可作防禦之用，葉柄上的倒刺還可鉤住其他植物或岩石，藉以攀爬伸展。而三角形的葉片更是它的招牌特徵，對採集者而言是再方便不過的。它的葉柄基部還有圓形的托葉鞘構造，莖看起來彷彿從其中心穿過，因此又名「貫葉蓼」。

扛板歸呈總狀排列的果實更是人見人愛，不過千萬不要誤以爲它們是漿果，其實包覆在外的是藍色的肉質宿存花萼，眞正的果實可是好好地躲在裡面呢！

扛板歸

科別：蓼科
學名：*Polygonum perfoliatum*
別名：刺犁頭、犁壁刺、貫葉蓼、三角鹽酸
類型：一年生蔓性草本
植株大小：1～2m長
生育環境：平地至低海拔之荒地、路旁、林緣和田邊
花期：7～10月

莖與葉片
莖的特徵：莖蔓生，有逆刺，紅褐色
毛：全株無毛，略呈粉白色
托葉：托葉鞘短，圓形，抱莖
葉的特徵：互生，盾狀三角形，膜質，長3～6cm，葉柄有逆刺，延伸至葉脈上

花朵
著生位置：頂生，總狀花序
類型：雌雄同株
大小：很小
顏色：綠白或紫色
花莖：短
花被：花萼5枚，沒有花瓣
雄蕊：8枚
柱頭：3裂
子房：圓球形

果實
型態：堅果球形，黑色，外附宿存藍色肉質花萼，狀如漿果
大小：0.3cm

葎草

葎草最容易辨識的特徵，包括粗糙的莖和葉片，以及掌狀深裂成星形的葉片。它大多成群蔓生，即使沒開花的季節，也讓人一眼就認出它。

由於葎草的葉片兩面粗糙，以前鄉下孩子最喜歡拿它來玩，比賽誰能將葉片貼在身上最久，或是比賽誰跑得快而葉片不會掉下來。這個有趣的植物童玩，何妨試試看？

葎草的莖和葉片有小逆刺，又常成群蔓生，凌駕在其他植物之上，大片葎草族群盤據地面，往往可以成功阻絕動物通行。不過如此強悍的植物卻是有名的救荒草——葛勒子，其嫩葉及嫩芽皆可煮食，只不過採集時要相當小心，否則極易刮傷皮膚。

葎草

科別：桑科
學名：*Humulus scandens*
英名：Japanese hop
別名：葛勒子、山苦瓜、苦瓜草
類型：一年生蔓性草本或多年生草本
生育環境：低海拔荒廢地、田邊、路邊及開闊地等
花期：夏～秋季

莖與葉片
莖的特徵：莖及葉柄皆有小逆刺，分枝多，纏繞性，莖略方形，有稜
毛：全株無毛
托葉：有
葉的特徵：長柄4～16cm，對生，掌狀深裂5～7裂，兩面被短剛毛，卵形或廣披針形，粗糙紙質

花朵
著生位置：雄花開於葉腋，呈圓錐花序；雌花亦腋生，近圓球狀的穗狀花序
苞片：綠色或紫褐色苞片包被雌花，苞片背面有刺
類型：雌雄異株，單性花
大小：長15～25cm（雄花序）
顏色：黃綠色（雄花）；綠色或紫褐色（雌花）
花莖：長度與葉柄相近
花被：雄花只有花萼，5裂；雌花由苞片包覆，花被退化成一全緣膜質片
雄蕊：5枚
柱頭：2裂
子房：單一

果實
型態：瘦果扁球形
大小：0.5cm長

馬鞍藤

馬鞍藤因葉片先端凹裂，形如馬鞍而得名。細看它的花朵，與我們所熟知的牽牛花（請見春夏篇162～165頁）大同小異，原來它們確實同屬旋花科牽牛屬的成員，不過差別在於馬鞍藤因長期生活在空曠的海濱沙灘上，莖完全不像牽牛花能纏繞攀緣，反而是匍匐蔓生，向四面八方拓展地盤。

馬鞍藤是典型的砂原植物，通常是沙岸最前線的植物群落，耐鹽又耐高鹼性土壤，而且還懂得用地遁法將莖埋入沙層中，只留下有角質構造保護的葉片在地面上，不僅減少水分的蒸發，還可防止灼傷，而且每一莖節都會長出細長的不定根，不僅可在海風吹襲下固定植株，還可深入吸收珍貴的水分和養分。馬鞍藤一開花就形成沙灘花海，非常美麗，素有「海濱花后」之稱，只不過花朵壽命極短，清晨綻放，過午即已凋零，想欣賞其繁花景致，務必要在早上十點以前到達海邊。

馬鞍藤

科別：旋花科

學名：*Ipomoea pes-caprae* subsp. *brasiliensis*

英名：railroad vine, beach morning-glory

別名：厚藤、鱟藤

類型：多年生草本

生育環境：海濱砂灘、堤坡上

花期：全年，以夏季最盛

莖與葉片

莖的特徵：長而匍匐地面，具卷鬚，每節生不定根

根的特徵：根入土極深

毛：全株光滑

葉的特徵：互生，厚革質，圓形至廣橢圓形，先端凹裂，形如馬鞍

花朵

著生位置：腋生，聚繖花序

苞片：卵狀披針形

類型：雌雄同株

大小：徑約5～6㎝

顏色：紫紅色

花莖：總花梗長3～5㎝

花被：花萼5片；花冠漏斗狀，不分裂

雄蕊：5枚，著生於花冠筒基部，叢生乳頭狀毛

子房：4室

果實

型態：蒴果，卵圓形，黑褐色，具有宿存花萼，熟後4裂

大小：徑約1.2～2㎝

種子：密被黃褐色毛，球形，黑色

台灣狗娃花

狗娃花是海濱地帶非常常見的野生菊花，也因此而有「荒野之野菊」的別稱。狗娃花的變異性相當大，不論是葉形、外表或葉片的毛狀物，都會隨環境而改變，必須十分小心辨認，否則很容易將別種菊科植物誤認為狗娃花，而把狗娃花當中不同的個體誤以為是不同種類的植物。

最常與狗娃花混淆的是雞兒腸（*Kalimeris indica*），主要因爲它們兩者的花都是淡紫色，植株高度也差不多。不過可根據以下兩點來加以辨明：狗娃花的瘦果上方有顯著的長冠毛，雞兒腸沒有冠毛；狗娃花的葉片多而密，比較細狹，而雞兒腸的葉片則稀疏，有顯著鋸齒，葉片比較寬闊。

台灣狗娃花

科別：菊科
學名：*Heteropappus hispidus oldhami*
別名：荒野之野菊
類型：二年生草本
植株大小：30～100cm高
生育環境：濱海的山坡或砂地
花期：秋季
葉片
毛：全株光滑無毛
葉的特徵：密生，倒披針形至線形，越上方的葉子越細越狹
花朵
著生位置：頂生，頭狀花，呈繖房狀排列
苞片：總苞半球形
類型：雌雄同株
大小：頭狀花徑約5cm
顏色：外圍舌狀花淡紫色，中央管狀花黃色
花莖：具有長梗
花被：舌狀花與管狀花形成頭狀花
果實
型態：瘦果倒卵形，冠毛白色
大小：長約0.5cm

菜欒藤

菜欒藤與馬鞍藤一樣，同屬旋花科牽牛屬，但它的莖比較像一般的野牽牛，細長而富纏繞性，而花形則是典型牽牛屬的特徵——漏斗狀，只不過它的花色相當特立獨行，是濃濃的金黃色，非常富觀賞價值，特別是在強烈陽光下會閃閃發亮，也難怪許多人會將它帶回家種，這樣的姿色比園藝植物，實在有過之而無不及。

菜欒藤原產熱帶亞洲和澳洲，台灣從海邊到低海拔山野都有分佈，但以恆春半島最爲常見。若想採集它的種子，最好是秋季採收，待隔年春天再播種，它將會很快給予人們最豐厚的回饋——一朵朵金黃閃亮的花朵。

菜欒藤

科別：旋花科
學名：*Merremia gemella*
別名：金黃牽牛、瘤梗姬旋花
類型：多年生蔓性草本
植株大小：高3m以下
生育環境：低海拔平地至海濱，以中南部較多
花期：全年

莖與葉片
莖的特徵：蔓性生長，分枝多，細長、光滑
毛：葉柄、花絲基部有毛
葉的特徵：卵形，全緣或微鋸齒，紙質，葉片長4～9㎝，葉柄有倒伏毛

花朵
著生位置：腋生，聚繖花序，由多數花組成
類型：雌雄同株
大小：8～15㎝長（花序），徑2㎝（單朵）
顏色：濃黃色
花莖：3～6㎜長，有毛
花被：萼片綠色；花冠漏斗狀
雄蕊：花絲基部有毛

果實
型態：蒴果，橢圓形，熟時呈褐色
大小：徑1㎝

香葵

香葵滿身剛硬的毛茸，讓人根本不想靠近它，不過當它在夏秋之際綻放碩大的金黃色花朵，卻又讓人不禁想一親芳澤，這就是香葵的奇特魅力。

名爲香葵，必定有特殊的香氣，果然它的果實含芳香油，是很好的調味香料，而種子上也有腺狀脈紋，據說有麝香味。香葵的嫩葉、芽和種子都是救荒野菜，煮食或炒食皆宜，花朵也可油炸食用，只不過採集時要小心粗糙的星狀茸毛，否則很容易刮傷或刺痛皮膚。此外，它的莖皮纖維也可作紡織原料，是麻的代用品。

和其他錦葵科植物一樣，花朵中央都有一根棒狀物，其實這是許多雄蕊的花絲基部癒合而成的雄蕊筒，非常容易辨識。

香葵的花朵中央有一根棒狀物，是由許多雄蕊的花絲基部癒合而成，頂端的柱頭膨大呈圓球狀，有毛。

香葵

科別：錦葵科
學名：*Abelmoschus moschatus*
英名：musk mallow, muskweed
別名：三腳鼈、藥虎、黃葵、麝香秋葵
類型：一年生草本
植株大小：1～2m高
生育環境：海邊、向陽荒廢地、農田（海拔100m以下）
花期：8～10月

莖與葉片
莖的特徵：莖略木質狀，分枝多，強風下則呈匍匐生長
毛：全株有粗糙的星狀毛茸
托葉：托葉線形，有毛
葉的特徵：互生，闊心形，3～7裂，大小及形狀多變，葉緣鋸齒狀，葉柄與葉片同長

花朵
著生位置：單生，腋出
苞片：線形，有毛，小苞片7～10枚
類型：雌雄同株
大小：徑10～12㎝
顏色：黃～金黃色，中心藍紫色
花被：萼片有星狀茸毛；花瓣大，呈倒卵形，微毛
雄蕊：多數，花絲基部合生為雄蕊筒
柱頭：3枚，膨大呈圓球狀，有毛
子房：卵圓形，有毛，5室

果實
型態：蒴果，5裂，熟時呈褐色，卵形或長圓柱形，表面被密粗毛
大小：5～8㎝長
種子：腎形，密被褐色毛，有腺狀脈紋，具麝香味

雞觴刺

滿身銳利的雞觴刺，防禦性極強，一副凜然不可冒犯的模樣，其實古書上對薊類植物早已有貼切的描述：「刺森森，踐之則迷陽，觸之則蜂蠆。」因爲它們多半生長在陽光充足的開闊地上，如果沒有特殊的自衛方式，恐怕早就不堪動物的踐踏和攝食了。

台灣總共約有10種薊屬植物，但它們的葉形、花形和花色都十分類似，辨識非常不容易，恐怕連植物學家都不是很確定其分類地位。不過這些個個長滿銳刺的傢伙，倒是讓人一眼就認出是薊屬植物，接下來再仔細辨認：根生葉是否在開花前凋萎？頭狀花基部的總苞片有無反捲現象？葉片表面有沒有毛等等。

雞觴刺

科別：菊科
學名：*Cirsium albescens*
英名：cirsium
別名：濱薊、雞薊卷
類型：多年生草本
植株大小：20～60㎝高
生育環境：南部海濱山坡地
花期：春夏～秋季

莖與葉片
莖的特徵：全株密生荊刺，莖多分枝，具溝紋
根的特徵：根肥厚，深入土中
毛：莖密生毛茸
葉的特徵：葉根生，質厚，倒披針形，長15～28㎝，葉緣有齒狀針刺，針刺長4～5㎜

花朵
著生位置：頂生，頭狀花單生於小枝先端
苞片：總苞片廣橢圓形，頭狀花基部有苞葉1～4枚，總苞先端成銳刺
類型：雌雄同株
大小：徑2.5～3㎝
顏色：白色或紫紅色、粉紅色
花被：全部由管狀花組成
柱頭：2裂
子房：長橢圓狀

果實
型態：瘦果，長橢圓形，具淺棕色冠毛
大小：長5㎜

白水木

白水木是熱帶海岸林中非常容易辨識的一種，主要是其葉片被滿了銀白柔毛，使它的顏色變成綠中帶白，再加上樹形特殊，遠觀好比銀質傘蓋，所以幾乎是不會錯認的。

白水木的體型多變，完全視其生長環境的風力大小而定，例如墾丁龍坑地區的白水木長成一片矮盤灌木狀，但在非衝風地帶，則會竄高成喬木。白水木多半生長在沙質海灘或珊瑚礁岩帶，不過它本身族群擴展力差，所以多半成爲其他海邊灌叢的伴生植物，而很少形成白水木的優勢群落。

白水木的葉片、枝條、花序都佈滿毛茸，撫觸的質感非常特別，下次遇見它，別忘了摸摸它。

白水木

科別：紫草科
學名：*Messerschmidia argentea*
英名：silvery messerschmidia
別名：銀丹、山埔姜、水草
類型：小喬木或矮灌叢
植株大小：時大時小，視環境條件而定
生育環境：南北兩端的海濱上，以及蘭嶼、綠島及小琉球等離島
花期：7～10月

莖與葉片
莖的特徵：樹皮灰褐色，枝上有明顯葉痕
毛：全株除老枝幹外，密生銀白柔毛

花朵
著生位置：聚繖花序，呈兩叉狀蝎尾形
類型：雌雄同株
大小：花很小，徑約4mm
顏色：白色
花莖：小花無梗
雄蕊：5枚
柱頭：2裂
子房：4室

果實
型態：球形，成熟時乾燥，中果皮有小泡、軟木質

長柄菊

長柄菊原產熱帶美洲，和孟仁草（請見24頁）一樣，因人爲干擾而受益匪淺，大大拓展了它的地盤，只要是人跡出入頻繁之處，就可以看見長柄菊的大片群落，幾乎讓人忘了它根本是一種外來植物。

長柄菊最明顯的特徵正如它的名稱所示——特長的花梗，長可達10至20公分，在所有菊科植物當中，是不可能再找到有這麼長花梗的成員了。這些花梗把一朵朵頭狀花頂得高高地，一來彌補植株矮小的缺憾，二來傳粉者也比較容易發現它們，讓它們順利完成傳宗接代的任務。再者，當果實成熟之後，一個個毛球（有冠毛的瘦果聚集而成）高踞梗頂，好讓風兒帶它們四處傳播。我們能說長柄菊的長花梗不是絕妙的設計嗎？

長柄菊

科別：菊科
學名：*Tridax procumbens*
英名：longstem tridax, lantern tridax
別名：金再鉤、燈籠草、肺炎草
類型：多年生草本
植株大小：20～50㎝高
生育環境：海邊向陽荒廢地、河堤、沙地（海拔600m以下）
花期：8～10月盛花期，全年均可見開花

根、莖與葉片
莖的特徵：莖基部匍匐，上半直立，分枝細
根的特徵：有不定根，根淺
毛：全株被短剛毛
葉的特徵：葉對生，不規則鋸齒緣，厚紙質，卵形或卵狀披針形

花朵
著生位置：單生，頭狀花
苞片：總苞少數，被有粗毛
類型：雌雄同株
大小：徑1㎝
顏色：白色、黃色
花莖：花梗特長，約10～20㎝
花被：舌狀花5朵，淡黃白色；中央管狀花多數，黃色
柱頭：2裂

果實
型態：瘦果，圓筒形，成熟呈棕色，具灰白色羽毛狀冠毛，瘦果表面密生絹毛
大小：2㎜長

台灣敗醬

台灣敗醬雖然不是台灣特有的植物，但這種植物的分佈以台灣最爲常見，其他地方則少見，因此名稱上特別將數量最多的產地——「台灣」冠上，讓人一目瞭然。

敗醬科的植物最容易記住的特徵是根部的怪味道，若將植株從土中拔出，不妨聞一聞根部，一股腐敗豆醬般的氣味將讓人永誌難忘。

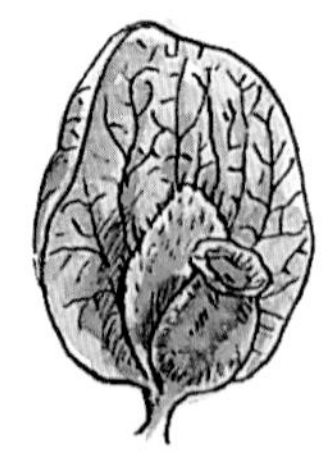

台灣敗醬的卵球形瘦果，有卵圓形的翅。

台灣敗醬

科別：敗醬科
學名：*Patrinia formosana*
別名：男郎花
類型：多年生草本
植株大小：40～150㎝高
生育環境：中低海拔山區闊葉林林緣、路旁
花期：4～5月，8～10月

莖與葉片

莖的特徵：莖直立，基部木質化，圓柱狀
毛：全株密被茸毛
葉的特徵：對生，質薄，闊橢圓形，有長柄，鋸齒葉緣，兩面及邊緣皆有長毛，葉片越上方越小

花朵

著生位置：複繖房花序，頂生或腋生
苞片：窄披針形，2～5㎝長
類型：雌雄同株
顏色：黃綠色
花被：漏斗狀花冠筒，內側有毛茸；花萼5淺裂
雄蕊：2枚
柱頭：粗大，頭狀
子房：外側有腺體，3室

果實

型態：瘦果，卵球形，有卵圓形的翅
大小：3～4㎜長

山菊

「山菊」這個名稱經常遭濫用，似乎只要是長在山區的菊科植物，都可以稱之爲山菊，結果眞正正宗的「山菊」反而不爲人知。例如另一種常見的菊科植物——台灣款冬（請見131頁），別名又叫山菊，導致「山菊」和「台灣款冬」在許多書上都混爲一談，事實上，它們是截然不同屬的菊科植物。

秋天是欣賞山菊的最佳時機，特別是在陽明山的中興農場步道兩側，由山菊開出的黃花綿延一公里半，同時伴隨著黃花鼠尾草（請見39頁）、台灣曲蕊馬藍（藍色唇形花）的繁花勝景，交織成一幅黃藍對比的絕妙圖畫，錯過了實在可惜。

山菊

科別：菊科
學名：*Farfugium japonicum*
類型：多年生草本
植株大小：20～30cm高
生育環境：中低海拔山區山坡地、路旁，尤以陽明山區800～1100m 最常見
花期：8～10月

莖與葉片
莖的特徵：莖半木質化，相當光滑
毛：全株光滑無毛
葉的特徵：根生葉，葉片厚，葉柄長，革質，邊緣多角形，葉身如蟹甲，長9～15cm，莖生葉線形，較窄而短，僅2～3cm長

花朵
著生位置：圓錐花序
類型：雌雄同株
大小：徑5cm
顏色：黃色
花莖：從葉叢中伸出長花莖
花被：頭狀花，外圍舌狀花，中央管狀花
柱頭：2裂

果實
型態：瘦果，有白色冠毛

台灣何首烏

台灣何首烏是何首烏的變種，沒有粗大的塊根，只有指頭般大小的地下莖，而且葉片呈長橢圓狀卵形，也和何首烏稍有不同。

台灣何首烏在中低海拔山區非常常見，植株具攀緣性，有時甚至會看到它攀生在電線上，開滿了白色的小花，形成非常特殊的野外夏秋景致。台灣何首烏的根及莖主要用於治療風濕、感冒、咳嗽和四肢酸痛等，並有活血、養血的功能。

台灣何首烏

科別：蓼科
學名：*Polygonum multiflorum* var. *hypoleucum*
別名：白雞屎藤、雞香藤、夜交藤
類型：多年生草質藤本
生育環境：低、中海拔闊葉林
花期：夏～秋季

莖與葉片
莖的特徵：光滑，基部木質化，莖纏繞，中空，多分枝，地下莖如指頭般粗
托葉：托葉鞘短筒狀
葉的特徵：長橢圓狀卵形，基部心形，先端銳，葉背粉白

花朵
著生位置：頂生或腋生，圓錐花序
苞片：卵狀披針形
類型：雌雄同株
大小：花小而密生，花序大而開展
顏色：白色略帶粉紅
花被：花被5深裂
雄蕊：8枚
柱頭：3枚

果實
型態：堅果卵狀三角形；有三翼

紅蓼

紅蓼的別名頗多，有葒草、紅草、水紅花或馬蓼，主要都是因為花朵的顏色而得名。其實紅蓼也是很好的野菜或野外求生植物，其可食部位包括嫩莖葉和瘦果，嫩莖葉的口感優異，可以用一般蔬菜料理的方式來做，而瘦果則必須去皮之後再行煮食。紅蓼在台灣中低海拔山區頗為常見。

紅蓼

科別：蓼科
學名：*Polygonum orientale*
別名：紅草、葒草、水紅花、馬蓼
類型：一年生草本
植株大小：1.5～2m高
生育環境：中低海拔山區或魚塭、圳埤、潮濕山腳的邊緣
花期：10月～翌年6月

莖與葉片
莖的特徵：粗短，多分枝
毛：全株被毛
葉的特徵：葉片大，闊卵形，20～26㎝長，葉柄長

花朵
著生位置：頂生，2～6朵組成總狀花序，並密生為圓柱形穗狀，成熟時頂端下垂
苞片：傾斜，長有密毛
類型：雌雄同株
大小：3～3.5㎜長
顏色：粉紅或紅色
花被：花被5裂，裂片橢圓形，基部有黃色腺體7枚
雄蕊：7枚
柱頭：2裂，頂端圓球狀
子房：橢圓形

果實
型態：瘦果，扁圓形，黑色，外覆肉質宿存花被
大小：徑3～4㎜

台灣水鴨腳

台灣水鴨腳的蒴果有3翅，其中一翅特別長。

秋海棠屬的成員在台灣共有7種原生種，其中在北部山區最容易看到的便是台灣水鴨腳。它特別喜愛生長在陰濕的林下或是流水潑濺的石塊上，而且通常一大片一大片地出現。長有台灣水鴨腳的闊葉林山區，通常也是雨量非常豐沛的地區。

台灣水鴨腳的葉片很大，形狀好比鴨子的大腳丫，其莖節膨大泛紅色，還可長出不定根以在濕滑的環境中拓展地盤。水鴨腳的花是雌雄異花、同株，外形宛如小形的蚌殼。要分辨雌、雄花也很容易，雄花的花瓣是4枚，而且有鮮黃色花藥，而雌花花瓣則爲5枚，中央有綠色呈旋扭狀的柱頭。

台灣水鴨腳

科別：秋海棠科
學名：*Begonia formosana*
英名：formosa begonia
別名：裂葉秋海棠、水鴨腳秋海棠
類型：多年生草本
植株大小：50cm高
生育環境：300～1500m中低海拔陰濕闊葉林下、水源處，台北近郊山區十分常見
花期：5～10月

莖與葉片
莖的特徵：莖節膨大泛紅色，光滑多汁，可長不定根
根的特徵：地下根莖粗厚，匍匐生長
毛：葉面有毛狀突起
托葉：膜狀，卵圓形
葉的特徵：長柄12cm，葉片歪卵形，先端作5～7不規則銳狀深裂，葉緣有鋸齒，肉質多汁，葉面具毛狀突起

花朵
著生位置：腋生，由3～4朵花呈聚繖花序排列
類型：雌雄同株異花，單性花
大小：約2cm
顏色：粉紅或淺桃紅色
花莖：長
花被：雄花花瓣4枚，雌花花瓣5枚
雄蕊：多數，花藥鮮黃色
柱頭：旋扭狀綠色柱頭3枚
子房：3室

果實
型態：蒴果有3翅，其中一翅特別長
大小：長2.5cm

蠻大秋海棠

蠻大秋海棠最容易辨識的特徵在於全株披有鐵鏽色毛茸，因此又名「鏽毛秋海棠」，而且生長環境的海拔高度也比台灣水鴨腳高一些，意味著它比較喜歡冷涼而潮濕的環境。

蠻大秋海棠和水鴨腳一樣，莖皆富含水分，因此成為著名的野外求生供水植物之一。同時蠻大秋海棠的莖及葉柄也是很好的野菜，將其剝皮炒食，據說滋味非常鮮美。

不過根據藥性研究，秋海棠屬的植物富含蟻酸，食後可能會刺激胃黏膜，引起胃炎或下痢。此外，民間藥方中也常將秋海棠屬的莖葉搗碎，外敷以治蟲蛇咬傷。

蠻大秋海棠

科別：秋海棠科
學名：*Begonia laciniata*
別名：野秋海棠、鏽毛秋海棠
類型：多年生肉質草本
植株大小：20～50cm
生育環境：300～2000m中低海拔山區陰濕林下
花期：4～10月

莖與葉片

莖的特徵：粗而柔弱，莖多汁
毛：全株被有鐵鏽色毛茸
托葉：卵形，1.5cm長
葉的特徵：互生，歪卵形，邊緣呈不規則缺刻，葉背葉脈上有鏽褐色毛茸，長15cm，柄長6～8cm

花朵

著生位置：腋生，聚繖形花序，3～4朵小花
類型：雌雄同株異花，單性花
大小：雄花2cm長；雌花1.2cm長
顏色：白或粉紅色
花被：雄花有4花瓣，雌花有5花瓣，兩者花瓣外側皆有毛
雄蕊：多數，0.4cm長
柱頭：2裂，彎曲呈螺旋狀

果實

型態：蒴果，具3翅，成熟時紅褐色，呈漿果狀
大小：1～3.5cm

大波斯菊

秋天的大波斯菊是台灣中高海拔山區的著名勝景之一，五顏六色的迷人花朵，搭配細長的花梗，隨著陣風搖曳生姿，花浪陣陣襲來，想不陶醉也難。

大波斯菊原產墨西哥，西元1911年引進台灣栽培，不久便在各地出現，尤其來到中高海拔的武陵農場、清境農場、太平山、杉林溪等，便就此長住而成爲野生的歸化族群。

高山上的大波斯菊開得似乎比平地更加放肆，花色也格外鮮麗，又有晴空萬里和美麗的山岳作背景，讓人忘了如今已是蕭蕭的仲秋時分，反而有種置身春天的錯覺。

大波斯菊

科別：菊科
學名：*Cosmos bipinnatus*
英名：common cosmos
別名：秋櫻
類型：一年生草本
植株大小：1m以上
生育環境：栽培植物，清境農場、杉林溪、武陵農場、太平山均有歸化的野生族群
花期：8～10月（中高海拔），春～夏季（平地）

莖與葉片
莖的特徵：莖多分枝
葉的特徵：對生，二回羽狀複葉，小葉細線形

花朵
著生位置：頭狀花單生開於莖端，或排列成繖房狀
苞片：總苞片2列
顏色：有白、粉紅、紫紅……多種品種
花莖：頭狀花有長柄
花被：舌狀花，中性，花色繁多

果實
型態：瘦果線形，有喙，喙頂具芒刺2～4條

紫花鳳仙花

花形奇特的紫花鳳仙花是台灣三種原生的鳳仙花種類之一，其餘兩種為棣慕華鳳仙花（請見春夏篇92頁）和黃花鳳仙花（請見春夏篇190頁），花形、花色與果實的開裂方式均各有千秋，是非常珍貴的原生植物，只可惜野外數量並不多，其中尤以黃花鳳仙花最為稀有。

紫花鳳仙花的萼片與花瓣均為3枚，先端呈尖尾狀，懸垂於枝葉間，宛如港口的吊船，因此又有吊船花之別稱。其果實與其他鳳仙花一樣，只要輕觸一下，便會將種子彈射而出，而富彈性的外果皮則捲曲成奇特的形狀，十分值得仔細觀察。

紫花鳳仙花

科別：鳳仙花科
學名：*Impatiens uniflora*
英名：single flower balsam
別名：單花鳳仙花、吊船花
類型：多年生草本
植株大小：8～50㎝高
生育環境：中高海拔（1600～3000m）之次生草地或針葉樹林山坡地
花期：6～11月

莖與葉片
莖的特徵：莖直立，有翼，屈曲向上
毛：葉有剛毛
葉的特徵：互生，葉有葉柄，1～10㎝長，葉片橢圓形至披針狀橢圓形

花朵
著生位置：頂生或腋生，單朵
苞片：卵圓形，1～2㎜長
類型：雌雄同株
大小：長4～5㎝
顏色：紅紫、淡紫或白色
花莖：伸長，頂端吊懸單一花朵
花被：萼片、花瓣均3枚，旗瓣腎形、翼瓣3裂、唇瓣囊狀，先端尖尾狀，基部內縮成距
雄蕊：5枚
柱頭：1枚
子房：3.5㎜長

果實
型態：長條形蒴果，褐色
大小：1.7㎝長
種子：觸碰果實即將種子彈出，橢圓形種子

阿里山繁縷

阿里山繁縷多半分佈在中高海拔山區、高山草原或路旁，它喜歡潮濕而且略有陽光的生長地點，常成群生長，開起花朵來花團錦簇，宛如滿天星辰，十分引人。

阿里山繁縷的花朵十分容易辨識，5枚白色花瓣先端呈兩裂瓣狀，同時花瓣上還有縱向條紋，特徵典型而明確，是不容易發生混淆的。

阿里山繁縷

科別：石竹科
學名：*Stellaria arisanensis*
類型：多年生草本
植株大小：20～60㎝高
生育環境：1400～2800m中高海拔山區、高山草原
花期：8～10月
葉片
葉的特徵：對生，有柄，近菱形或三角形，葉表有毛
花朵
著生位置：腋生
類型：雌雄同株
顏色：白色
花莖：有花梗，具粗毛
花被：萼片及花瓣均為5枚，花瓣先端呈兩裂瓣狀
雄蕊：10枚
柱頭：3枚
果實
型態：蒴果，球形
種子：長形

白花香青

白花香青是著名的乾性植物，耐旱性強，尤其喜歡生長在乾燥的高海拔岩屑地或山坡上，在觀霧至鹿場大山、阿里山至祝山沿途以及其他高山的南向、西向山坡，都找得到白花香青的蹤影。

白花香青最容易辨識的特徵是莖上的灰白色綿毛，以及葉背密佈的白色綿毛。花形則是籟簫屬(*Anaphalis*)的典型長相，不妨仔細與尼泊爾籟簫（請見春夏篇215頁）比較看看。

白花香青的花曬乾之後，可做爲杭菊的代用品，用它泡茶可解熱、清目，這在阿里山的特產店最爲常見，不過他們仍以「杭菊」之名出售，其實是道道地地阿里山土產的白花香青。

白花香青

科別：菊科
學名：*Anaphalis margaritacea* var. *morrisonicola*
英名：pearly everlasting
別名：山荻、玉山抱莖籟簫
類型：多年生草本
植株大小：15～40cm長
生育環境：高海拔2200～3600m之林緣、岩屑地或次生草原
花期：7～10月

莖與葉片
莖的特徵：莖細長直立，下方木質化，有灰白色綿毛
毛：莖、葉背有白色綿毛
葉的特徵：互生，線形或線狀披針形，葉背有白色綿毛，長2～4cm

花朵
著生位置：頂生，頭狀花呈繖房花序
苞片：數列，卵形
類型：雌雄同株
大小：徑6～8mm
顏色：白色或灰白色
花被：外圍舌狀花為雌花；中央管狀花兩性花
柱頭：2裂

果實
型態：瘦果，長橢圓形，有冠毛
大小：0.5mm長

高山艾

高山艾是台灣13種艾屬植物當中，生長海拔高度最高的一種，只有在三千公尺以上的高山草原或石礫地上才找得到它，並不常見。

艾屬的植物與菊科其他大多數植物有所不同，大多數菊科植物爲蟲媒花，依賴昆蟲代爲授粉、傳粉，但艾屬的植物爲風媒花，爲利用風力傳播花粉，其花朵向下開放。

高山艾的頭狀花全由管狀花形成，沒有舌狀花；中心部位爲兩性的管狀花，外圍則爲雌性管狀花。

高山艾

科別：菊科
學名：*Artemisia oligocarpa*
英名：alisan artemisia
類型：多年生草本
植株大小：15～35㎝高
生育環境：3000～3800m高海拔高山草原
花期：7～10月

莖與葉片
莖的特徵：半木質化，分枝多
葉的特徵：叢生狀，針形，宛如松葉狀
花朵
著生位置：頂生，頭狀花呈總狀排列
類型：雌雄同株
大小：徑約0.5㎝
顏色：紫色
花被：全由管狀花組成

仙草

近年來風行一時的「燒仙草」到處可見，其實它正是由仙草的地上部（莖及葉）熬煮而成，只是大家都會吃燒仙草、仙草冰，卻未必認得這種與我們關係如此密切的植物。

仙草是台灣原生的唇形科植物，特別喜歡開闊的環境，不論陽光充足或半遮蔭的條件下，都能生長良好。想欣賞它的花，要在秋冬季至路旁、林緣或山區的耕地邊，非常容易找到；若想要自行製作清潔衛生的仙草凍或燒仙草，最好在夏季間採集茂盛的莖葉，洗淨後曬乾備用，若採陰乾方式，則香味更加濃郁。仙草清暑解熱、利尿，可降血壓，是非常受歡迎的民間藥草。

仙草

科別：唇形科
學名：*Mesona procumbens*
英名：mesona
別名：仙草舅、仙草凍、涼粉草
類型：一年生草本
植株大小：高20～70cm
生育環境：全島低、中海拔的山野及路旁，呈小群落生長
花期：秋～冬季

莖與葉片
莖的特徵：方形，帶紅褐色，莖直立或基部為匍匐性
毛：全株佈有分節的毛
葉的特徵：對生，橢圓形至卵形，長1～4cm，有齒緣，背面有疏毛茸

花朵
著生位置：頂生或腋生，輪生總狀花序
苞片：三角形，兩面被微毛
類型：雌雄同株
大小：花序長15cm
顏色：淡紫色或紅紫色
花莖：花梗被微毛
花被：花萼鐘狀二唇形；花冠筒二唇形，上唇瓣3裂，下唇瓣船形
雄蕊：4枚，2長2短的2強雄蕊
柱頭：2叉狀

果實
型態：小堅果，倒卵形

飛揚草

飛揚草到處可見，不論是山坡、路旁或甚至柏油路、水泥的裂縫，它都能夠生長，生命力之旺盛，令人嘆爲觀止。

飛揚草最容易辨認的特徵，如全株豐沛的乳汁（這也是大戟科植物的重要特徵），以及植株外觀宛如站立的大形百足蟲，葉腋密生的極小花朵，都讓人非常容易記得它。

另外有一種小飛揚草（又稱爲紅乳草），體型比它小得多，而且匍匐生長，兩者都愛生長在開闊的向陽地，數量也都很多，不妨好好認識一下。

飛揚草

科別：大戟科
學名：*Euphorbia hirta*
英名：centiped euphorbia
別名：大飛揚草、乳仔草、大地錦葉
類型：一年生草本
植株大小：10～40㎝高
生育環境：向陽荒廢地、路旁或農田，喜沙質土
花期：4～11月

莖與葉片

莖的特徵：莖斜上或直立，帶淡紅色或紫紅色，全株有豐富乳汁
毛：莖、葉、總苞、果實有毛
托葉：梳狀線形
葉的特徵：對生，葉表有紫紅色斑紋，葉緣微鋸齒，葉長橢圓狀披針形，2～4㎝長

花朵

著生位置：腋生，聚繖花序排列成頭狀，花密而小
苞片：杯狀總苞，外表有毛
類型：雌雄同株異花，單性花
大小：很小
顏色：黃褐色或帶紫色、綠色
花莖：幾乎沒有花梗
花被：雄花無花被，雌花位於總苞中央，亦無花瓣
雄蕊：多數
柱頭：3枚
子房：3室

果實

型態：蒴果，寬卵形或球形，成熟紫紅色，有短毛
大小：徑1.2㎜
種子：卵形

加拿大蓬

原產北美的加拿大蓬是平地至低海拔地區非常常見的菊科野花之一，花小，但以量取勝，開花時只見植株頂端伸出的長花莖上，開滿了數不清的頭狀花。而當它果實成熟時，鏽白色的冠毛完全張開而且聚成球形，很多人都將它們誤以為是加拿大蓬的花朵，其實它們正在等待風兒或人們好奇的碰觸，一個個瘦果將就此啓航，飛向未知的新旅程。在野外碰到加拿大蓬結滿果實時，不妨助它們一臂之力，同時也可仔細觀察它們的風之旅程。

加拿大蓬常與野桐蒿（又稱野茼蒿，請見142頁）混淆不清，其實它們是同屬的好兄弟，也常長在一起，所以不妨一起認識它們，一舉兩得。

加拿大蓬

科別：菊科
學名：*Erigeron canadensis*
英名：Canadian fleabane, horseweed
別名：馬草
類型：一年生草本
植株大小：05.～1.5m高
生育環境：荒廢向陽地、路旁、農田，到處可見
花期：秋～冬季

莖與葉片
莖的特徵：直立，細長，多分枝
毛：莖、葉有毛
葉的特徵：下方葉片披針狀，上方葉片線形或線狀披針形，全緣

花朵
著生位置：頂生，圓錐花序，由多數頭狀花組成
苞片：4裂，窄而光滑
類型：雌雄同株
大小：徑3㎜（單朵頭狀花）
顏色：淡粉紅色或白色、淡粉紫色
花被：舌狀花3㎜長，長窄線形；中央為狹長之管狀花
柱頭：深2裂

果實
型態：瘦果，扁長形，覆有稀毛，冠毛白色
大小：1～1.5㎜長

長穗木

原產熱帶美洲的長穗木，因觀賞價值而引進台灣，如今早已馴化，尤其在中南部、恆春半島及蘭嶼等地區的荒廢山坡地更見大量繁衍。長穗木的花穗正如其名，又長又細，但奇怪的是，這長花序上的小花絕對不會同時盛放，反而是稀稀落落地一次開兩、三朵，雖然不夠好看，卻讓人容易記得它的特徵以及奇怪的開花習性。

長穗木

科別：馬鞭草科
學名：*Stachytarpheta jamaicensis*
英名：Jamaica false-valerian
別名：木馬鞭、假敗醬、馬鞭草
類型：常綠小灌木
植株大小：高可達1m
生育環境：新竹以南之荒地、路旁或海邊陽光充足之處
花期：5～11月（夏～秋季）

莖與葉片
莖的特徵：小枝四方形，略二分叉
毛：光滑無毛
葉的特徵：對生，卵狀橢圓形或菱形，粗鋸齒緣，紙質，長3～8㎝

花朵
著生位置：頂生，穗狀花序，呈長鞭形
苞片：膜質，鑿形
類型：雌雄同株
大小：花序可達30㎝長，花長9㎜
顏色：藍紫色
花莖：長
花被：花萼筒狀，先端4齒裂；花冠盆形，先端有不整齊的5裂，內部有毛
雄蕊：有花藥的雄蕊2枚，退化雄蕊2枚
柱頭：1枚
子房：2室

果實
型態：蒴果長橢圓形，有宿存萼片包覆著
種子：2顆

台灣萍蓬草

台灣萍蓬草是台灣特有的水生植物，以前在低海拔地區的池塘或湖泊非常常見，現因土地劇烈開發，導致低海拔的天然湖泊或水塘一一絕跡，台灣萍蓬草也因此而成為稀有植物，目前野生族群僅倖存於北部少數的古老天然池塘中，不過人工栽培的數量倒是不少。

萍蓬草的花朵非常好辨認，5片鮮黃色的花瓣狀萼片宛如水中的酒杯，眞正的花瓣已退化而不容易辨識。其花梗極長，將花朵高高托出水面之上，而葉柄也很長，使葉片可以浮於水面，葉片的基部呈箭狀心形，即使沒開花的時候也能和一般的睡蓮、荷花區分。

台灣萍蓬草

科別：睡蓮科
學名：*Nuphar shimadai*
英名：Taiwan nuphar
別名：水蓮花
類型：多年生水生草本
生育環境：北部、中部之水塘，現在野外已瀕臨絕跡
花期：8月～翌年4月

莖與葉片
莖的特徵：地下根莖肥厚，圓筒形，具匍匐性，莖短縮
葉的特徵：葉單一自地下莖長出，柄長15～30㎝，圓形、長橢圓形或闊卵形，基部箭狀心形，葉表光滑，葉背密生粗毛

花朵
著生位置：頂生，單朵
類型：雌雄同株
顏色：黃色
花莖：長25～40㎝
花被：萼片5枚，呈花瓣狀，倒卵形；花瓣退化，不明顯
雄蕊：多數，可孕性雄蕊附著於圓錐形子房外側
柱頭：10裂
子房：半圓形到圓錐形

果實
型態：漿果，球形，柱頭宿存，呈冠狀
大小：徑2㎝
種子：多數

兔尾草

花序造型奇特的兔尾草，很容易讓人過目不忘。它的總狀花序形狀很像動物的尾巴，因此特別稱之爲兔尾草，也有人叫它狗尾草（不要又跟禾本科或紫草科的狗尾草混淆了）、山貓尾、狐狸尾、布狗尾等。

兔尾草的花序由下往上依序綻放，未開放的花苞有排列整齊的苞片保護，直到綻放前才自動脫落，露出毛茸茸的花萼，非常可愛。所以在一根兔尾草的花穗上，往往可以同時觀察到開花的三個階段：下方盛開的紫紅色花朵，中間則是即將綻放、渾身毛茸的蓓蕾，上方則是排列呈披針形的白色苞片，十分有趣。

兔尾草的根部是運用最廣的民間藥草之一，坊間常見販賣的「狗尾雞」即是以其根部熬煮雞湯，有開脾利尿、治小孩發育不良等功效。

兔尾草

科別：豆科
學名：*Uraria crinita*
英名：Chinese honeysuckle
別名：狐狸尾、通連草、山貓尾、狗尾草
類型：多年生亞灌木
植株大小：高1m
生育環境：中南部原野、低海拔山坡灌叢或雜草叢中
花期：6～11月
莖與葉片
毛：花萼有毛
葉的特徵：奇數羽狀複葉，小葉3～7枚，長橢圓形，長5～10cm，近革質
花朵
著生位置：頂生，總狀花序
苞片：白色苞片包覆花蕾，開花前脫落
類型：雌雄同株
大小：花序長30cm以上，每一朵花長7～8cm
顏色：紫紅或粉紅色
花莖：長
花被：萼筒5裂；蝶形花冠
雄蕊：9＋1枚的二體雄蕊
果實
型態：節莢果，3～7節

野菰

野菰沒有根、不長葉，也沒有葉綠素，卻可以開出需要消耗大量養分的花朵，還結出數以千計的種子，到處繁衍。它究竟是如何辦到的？原來它靠吸附在寄生植物的根部上，吸收它們辛苦製造的養分，供其開花結果，而這些倒霉的寄主多半是禾本科植物，如常見的五節芒（請見113頁）、甘蔗、甜根子草（請見115頁）和颱風草等。但野菰和寄主之間的微妙關係，並不如我們所想像的吸血鬼般可怕，事實上，野菰不致對這些芒草造成太大的危害。

野菰的花萼肉質，呈佛焰苞狀，花冠則呈管狀，恰與花梗相互垂直，形狀很像煙斗，十分奇特而且容易辨識。

野菰

科別：列當科
學名：*Aeginetia indica*
英名：Indian pipe
別名：金鎖匙、茶匙草、芋菰草、番仔煙斗
類型：一年生寄生性草本
植株大小：高20～30㎝
生育環境：低海拔灌叢與草地，尤其常寄生在禾本科的芒屬植物
花期：6～11月（夏～秋）

莖與葉片
莖的特徵：莖很短，通常藏於地下
葉的特徵：鱗片狀，狹三角形，長5～10㎜，為退化之葉片

花朵
著生位置：花梗數枝由地下莖中伸出，花朵頂生
類型：雌雄同株
大小：3～5㎝長
顏色：淺紫紅色或紫褐色
花莖：20～30㎝長，花梗鉻黃色
花被：花萼佛焰苞狀，頂端尖銳；花冠管狀，頂端淺5裂
雄蕊：4枚，著生於花冠基部
柱頭：盾形
子房：2

果實
型態：蒴果，卵圓球形
大小：徑1～1.5㎝
種子：量多，很小

小金石榴

小金石榴是野牡丹科的植物，具有野牡丹科植物的典型縱向葉脈，非常清晰可辨。其花梗鮮紅色，長長伸出綠色的葉片之上，非常漂亮，而未綻放的花苞尖端呈深粉紅色，盛開後又伸出四枚黃色長花絲，搭配前端淡粉紅的花藥。設計如此精巧的花朵讓小金石榴成爲秋冬野花的漂亮寶貝。

小金石榴的花朵有4枚花瓣、8枚雄蕊，其中4枚長雄蕊的花藥呈線狀捲曲，非常明顯。

小金石榴

科別：野牡丹科
學名：*Bredia gibba*
類型：小灌木
生育環境：南部及東南部中低海拔闊葉林下之陰濕地、谷地
花期：8～11月

莖與葉片
莖的特徵：分枝圓柱形，覆有一層粉狀顆粒，並有粗毛
毛：葉柄、莖有毛
葉的特徵：橢圓狀卵形，3～7㎝長，葉脈明顯，邊緣微鋸齒，葉柄有毛

花朵
著生位置：聚繖花序，頂生，3～5朵花組成
苞片：線形，很小
類型：雌雄同株
大小：徑2.5㎝
顏色：白色
花莖：3～5㎝長，光滑而細長，呈鮮紅色
花被：萼筒倒圓錐形，光滑，萼片裂片4；花瓣4枚
雄蕊：8枚，4枚長雄蕊的花藥線狀捲曲，長長伸出花外，花絲黃色，花藥粉紅
柱頭：盤狀
子房：4室

果實
型態：蒴果包覆在萼筒內，萼片會脫落
大小：5～6㎝長

台灣澤蘭

拓展力特強的植物從它的分佈情形，往往可以清楚看出端倪。台灣澤蘭不論乾、濕、冷或熱的環境都有辦法生長，這種強悍的適應力讓我們到處都看得到它，從平地一直到海拔三千公尺的山區，從春末到秋天，台灣澤蘭的盛放景致是我們所熟悉的野外景象之一。

台灣澤蘭的花序明顯，顏色也很特別，盛開時只見整片的白色略帶粉紅色暈，十分容易辨識。秋末冬初，台灣澤蘭的瘦果逐漸成熟，飽滿的白色冠毛正待啓航，帶著果實隨風飄散四處，開拓屬於台灣澤蘭的新疆土。

台灣澤蘭

科別：菊科
學名：*Eupatorium formosanum*
英名：formosan eupatorium
別名：六月雪、大本白花仔草、尖尾鳳、香草
類型：多年生草本
植株大小：1～2m高
生育環境：從低海拔一直到3000m的荒廢向陽地或林緣、溪流、溝渠及河道邊
花期：5～11月

莖與葉片
莖的特徵：直立生長
毛：全株密被柔毛
葉的特徵：葉有柄，對生，深3裂或三出複葉，表面粗糙，葉背粉白色

花朵
著生位置：頭狀花於梢頂呈複聚繖花序排列
苞片：總苞為長橢圓狀鐘形，3層，上層白色，下層綠色
類型：雌雄同株
大小：小花長3～6㎜
顏色：白色略帶粉紅色暈
花被：5～6朵先端5裂的管狀花構成小型的頭狀花
雄蕊：5枚，合生，花藥紫紅色
柱頭：2裂，絲狀

果實
型態：瘦果，黑色，光滑，5稜，先端截形，上有白色冠毛
大小：2㎜長

金花石蒜

野生的金花石蒜在台灣只見分佈於北部、東部海岸，由於花朵大而豔麗，十分富觀賞價值，因此野外的植株幾乎已被採擷一空，目前在專業栽培的苗圃中反而比較容易找到它們。

金花石蒜的開花習性非常特別，其葉片在夏季過後即告枯死，秋天一到卻又抽出長長的花莖，綻放金黃色的漂亮花朵，所以又有人稱之爲「忽地笑」。這種「見花不見葉、見葉不見花」的奇特習性遂成爲金花石蒜最容易記住的特徵。

金花石蒜的地下鱗莖富含生物鹼，搗碎後可敷治毒蟲咬傷。其花朵雖大，但並無芳香。

「見花不見葉，見葉不見花」是金花石蒜最奇特的習性。

金花石蒜

科別：石蒜科
學名：*Lycoris aurea*
英名：golden spider lily
別名：忽地笑、山水仙、山金針、龍爪花
類型：多年生草本
植株大小：高70cm
生育環境：北部、東部海岸，如萬里、鼻頭角、和平島及太魯閣等地
花期：9月～11月

莖與葉片

莖的特徵：地下鱗莖球狀，直徑達6cm
葉的特徵：葉肉質深綠，中肋淺綠，長約60cm

花朵

著生位置：頂生，5～10朵花排成輪狀的繖形花序
苞片：總苞披針形，4cm長
類型：雌雄同株
大小：6～8cm長
顏色：金黃色
花莖：花莖長30～70cm，小花梗1～1.5cm，有毛
花被：萼片3枚，花瓣3枚，披針形，向外側反捲，邊緣波狀
雄蕊：6枚，伸出花瓣外3～4cm，花絲與花藥呈丁字著生
柱頭：花柱長，柱頭小
子房：3室，有3深稜

果實

型態：蒴果，扁球狀
大小：徑1.2cm

長葉茅膏菜

茅膏菜科的植物都是以葉上腺毛所分泌的黏液來黏著昆蟲，再分泌出消化酵素分解食物。這類食蟲植物又可分爲幾乎沒有地上莖、葉片叢生的毛氈苔，和有發達地上莖的茅膏菜。

長葉茅膏菜的嫩葉像蕨類一樣捲縮著，伸張出的葉片，其葉柄和葉身並沒有明顯的區別，在長約3至7公分的線形葉上，佈滿了像小火柴棒先端有個小圓球的細絲狀腺毛，黏液便是從這些小圓點分泌出來。

台灣野生的長葉茅膏菜，目前已被列爲瀕臨絕種植物，生育地僅限於新竹縣竹北蓮花寺附近的濕地。如何能讓這種食性特別、花朵又可愛的植物留存下來，保護棲地不再繼續遭受破壞是最主要的關鍵。

長葉茅膏菜

科別：茅膏菜科
學名：*Drosera indica*
類型：一年生草本
植株大小：15㎝長
生育環境：濕地或潮濕地帶
花期：夏～冬季

莖與葉片
莖的特徵：莖單一，直立，具短毛
毛：莖、葉披有短毛
葉的特徵：互生，葉窄線形，4～6㎝長，淡綠色，無葉柄，葉表有黃色或紅色腺毛，頂端捲曲呈絲狀，葉芽螺旋捲曲

花朵
著生位置：花莖由葉腋中伸出，與葉對生，3～9朵花組成總狀花序
類型：雌雄同株
大小：徑9㎜
顏色：淡紫色
花被：萼片5，全緣；花瓣5，倒卵形
雄蕊：5枚，與花瓣互生
柱頭：3枚，每一花柱的柱頭均雙裂
子房：圓球形，1室

果實
型態：蒴果，卵形，背裂
種子：多數

毛苦參

生長環境特殊的毛苦參，只見於濱海的珊瑚礁岩隙之間，目前個體數量所剩不多，是亟待保護的稀有海邊植物。

毛苦參的外形容易辨識，其小枝、葉柄、葉背和花序均披滿灰色毛茸，綠白相間，十分特殊。此外，它的莢果也是獨樹一幟的，於種子間收縮成念珠狀，一條條綠白色的念珠，便形成了毛苦參最特別的形態特徵。

毛苦參

科別：豆科
學名：*Sophora tomentosa*
英名：downy sophora
別名：嶺南苦參、嶺南槐樹
類型：灌木或小喬木
植株大小：0.5～2m高
生育環境：海岸灌叢，以南部、恆春半島居多
花期：全年，秋冬為其盛花期

根、莖與葉片
莖的特徵：小枝淡綠色，有淡灰色茸毛
根的特徵：主根系，擅於鑿穿珊瑚礁
毛：全株密披灰白色毛茸
葉的特徵：一回奇數羽狀複葉，15～19片小葉，革質，白粉綠狀，有毛，葉片倒卵形

花朵
著生位置：頂生，總狀花序
類型：雌雄同株
大小：15cm長（花序）
顏色：黃色
花莖：小花梗密披絹毛，如絲般有光澤
花被：蝶形花冠，旗瓣脈紋明顯
雄蕊：9＋1枚的二體雄蕊
柱頭：長條狀
子房：1室

果實
型態：莢果，外形如念珠般，熟時呈褐色，有濃密細毛
大小：7～15cm長
種子：6～8粒種子

濱防風

濱防風的外形與著名的藥用植物「防風」很像，同時又長在海邊，故稱之為「濱防風」，而「防風」的意思在藥用上是指預防風邪。

濱防風最顯著的特徵是5枚雄蕊比花瓣長了許多，長長伸出花外，而其奇特的果實也非常值得細細觀察。每一小果實是由2個扁平的離果聚合而成，然後再由多數小果實密生成一個單一的圓球狀果實，而每一小果的側隆起線呈翼狀，於是構成一個表面有眾多突起的大果實，造型非常可愛。

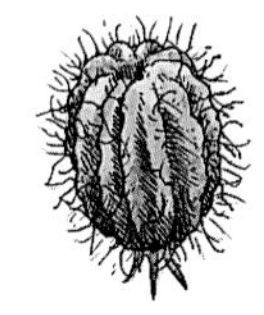

濱防風的圓球狀果實是由多數小果密生而成，每一小果是由2個扁平的離果構成，而每一小果的側隆起線均呈翼狀，於是這個大果實就有許多突起。

濱防風

科別：繖形科
學名：*Glehnia littoralis*
別名：珊瑚菜
類型：多年生草本
生育環境：北部濱海地帶
花期：7～11月

莖與葉片
莖的特徵：幾乎沒有莖
毛：全株有毛
葉的特徵：葉片肉質，橫向開展，闊卵形，10～20㎝長，柄長2.5～14㎝，葉柄有毛，呈紅色

花朵
著生位置：繖形花序呈圓球狀或橫向開展狀，有密毛，頂生
類型：雌雄同株
顏色：白色
花被：花萼尖端齒狀，多毛；花瓣5枚，卵狀披針形，尖端向內反捲
雄蕊：5枚，伸出花外
柱頭：2叉狀

果實
型態：果實有稜、多毛，由多數離果聚生而成，圓球狀
大小：0.5～1.3㎝長

賽芻豆

原產北美、澳洲、太平洋諸島、墨西哥和巴西等地的賽芻豆，於1960年代引入台灣，一開始是作為飼料、乾草或牧草等，後來也逸出野外而成為歸化植物之一，在空曠的荒地、路旁或草原，都很容易找到它的蹤跡。

賽芻豆的花色是豆科植物少見的紅褐色，而且蝶形花冠的造型也稍有不同，乍看之下，很容易誤以為是某一種野生的蘭花。但只要仔細找一下它的匍匐莖、羽狀三出複葉以及細長的莢果，就很容易判斷它是一種豆科植物。賽芻豆除了作牧草之外，也是很好的水土保持或覆蓋用作物。

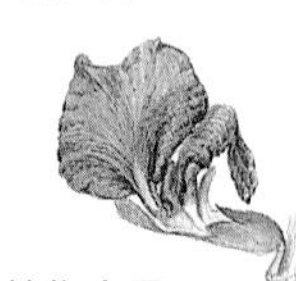

賽芻豆的花色是豆科植物少見的紅褐色，但典型的蝶形花冠讓人一眼就知道是豆科植物。

賽芻豆

科別：豆科
學名：*Macroptilium atropurpureum*
類型：多年生蔓性草本
生育環境：平地至低海拔地區的空曠荒地、路旁和草原
花期：秋冬～春季
莖與葉片
莖的特徵：莖匍匐，具攀緣性
毛：葉片兩面有柔毛，葉背最密
葉的特徵：葉羽狀三出複葉，頂小葉卵菱形，側小葉有小裂片
花朵
著生位置：腋生，總狀花序由6～12朵花組成
類型：雌雄同株
大小：長10～40cm（花序）
顏色：紅褐色
花被：花萼4裂，下部癒合成鐘形；花冠蝶形
雄蕊：9＋1枚的二體雄蕊
果實
型態：莢果，細長，直線形
種子：15～20粒，扁平，卵形，棕至黑色

菊花木

低海拔闊葉林下常見的菊花木，最容易辨認的特徵爲其葉片，闊心形再加上先端二裂（有些葉片不裂），讓人不會錯認它。

菊花木的名稱由來是因莖的橫斷面有特殊的菊花花紋造形，在工藝上頗富利用價值，可製成美觀的手杖或各種裝飾品，但也正因爲如此，菊花木遭到嚴重的採集，若無妥善保護措施，即使常見如菊花木者，恐怕也將從低海拔山區中消逝無蹤。

菊花木的花朵小，顏色爲黃白色，在蒼鬱的闊葉林中並不顯眼，但仔細觀察的話，其花瓣5片呈葉片的模樣，邊緣有波狀皺褶，加上3枚長長伸出花外的雄蕊，眞的十分特別。

菊花木

科別：豆科
學名：*Bauhinia championii*
類型：大型木本蔓藤
生育環境：低海拔山區闊葉林下
花期：9～11月

莖與葉片

莖的特徵：莖粗達22㎝以下，橫斷面呈菊花紋，具卷鬚
葉的特徵：互生，闊心形，6～8㎝長，平行葉脈，頂端2裂，半革質

花朵

著生位置：分枝頂端有總狀花序
類型：雌雄同株
大小：徑1～1.5㎝
顏色：黃白色
花被：萼片深5裂；花瓣葉狀，5片，邊緣有波狀皺褶
雄蕊：3枚，伸長至花瓣之外
柱頭：長條形

果實

型態：長形莢果，扁平，暗紫色，表面有細網紋
大小：8～10㎝長
種子：4～7個種子，黑色，扁圓形

彎龍骨

彎龍骨是豆科的落葉性小灌木，只分佈在中部海拔三百至一千八百公尺的山區、路旁，或與其他灌叢混生，花朵爲豔麗出眾的紫紅色，一到花期，很容易就在一大片綠色灌叢中找到它。

彎龍骨除了向上微翹的漂亮蝶形花冠之外，葉片的外形也容易辨認，羽狀三出複葉的小葉爲長橢圓形或長橢圓狀卵形，先端圓鈍或微凹入，加上中央部位的尖突和清楚的中肋，使其特徵非常容易記住。

彎龍骨

科別：豆科
學名：*Campylotropis giraldii*
類型：小灌木
植株大小：1.5～2m高
生育環境：中部海拔300～1800m山區、路旁和灌叢
花期：9～11月

莖與葉片
莖的特徵：分枝多，具短茸毛
毛：全株覆有短絲毛
托葉：3～4㎜長，有剛毛
葉的特徵：羽狀三出複葉，三小葉，卵圓形或長橢圓狀倒卵形，2～3㎝長，背面有毛，先端微凹入，中間有一尖突

花朵
著生位置：腋出的總狀花序或頂生的圓錐花序
類型：雌雄同株
大小：10～12㎜長
顏色：紫紅色（偶有粉紅色）
花莖：有毛
花被：萼片4裂，齒狀三角形；蝶形花冠為萼片之3～4倍長
雄蕊：9＋1枚的二體雄蕊
子房：1室，紡錘狀

果實
型態：莢果，長橢圓形，有毛，表裡兩面有網狀紋路
大小：8～10㎝長
種子：1粒

王爺葵

每年從11月開始，平地至低海拔山區的路旁或荒廢地、斜坡上，很容易看到這種碩大的金黃色菊花，許多人將它誤以爲是向日葵，其實不然，它是原產於墨西哥和中美洲的王爺葵。

王爺葵早在1910年即已引入台灣，原是觀賞植物，但因適應力極強以及強旺無比的繁衍力，現在已是到處可見的秋冬野花。野花的族群當中，很少像王爺葵美得如此放肆狂野，它們多半比較含蓄、耐看。但直接了當的王爺葵也有種單純之美，特別是在蕭瑟的秋冬季，更爲台灣的野外憑添幾分姿色。

王爺葵的花朵不僅中看也挺中用的，它們具有豐富的花粉，常吸引許多蜜蜂來光顧。

王爺葵

科別：菊科
學名：*Tithonia diversifolia*
英名：tithonia,Mexican sunflower
別名：提湯菊、金花菊、假向日葵、腫柄菊
類型：多年生草本
植株大小：高2～5m
生育環境：中低海拔山野、林緣、路旁
花期：11月～翌年1月

莖與葉片

莖的特徵：莖木質化，直立
毛：全株被有細毛
葉的特徵：互生，卵狀長橢圓形或三角狀卵形，掌狀或3～5深裂，長7～20cm，有長葉柄，背面有短柔毛

花朵

著生位置：頂生或腋生，大型頭狀花序
苞片：總苞片2～5列
類型：雌雄同株
大小：徑5～15cm
顏色：黃色
花被：周圍的舌狀花大而明顯，約有10～13朵；中央的管狀花為兩性花，生長密集

果實

型態：瘦果，扁狀橢圓形，頂端有芒刺或鱗片

黃萼捲瓣蘭

黃萼捲瓣蘭是蘭科捲瓣蘭屬植物的漂亮寶貝，這一屬蘭花的造型各具特色，尤其側萼片特化，變得特別長，形狀也大異其趣，是捲瓣蘭屬最重要的特徵。

黃萼捲瓣蘭的側萼片很長，約1至1.4公分，為鮮豔的橘黃色，兩片長橢圓形的側萼片呈捲曲狀，相互接觸，構成整朵花的視覺焦點。

除了側萼片之外，捲瓣蘭屬的唇瓣雖然不大，但它的構造卻很特別，與蕊柱的接觸面積縮小至一點，而且又具有關節，因此唇瓣便可上下擺動了。這種特殊的機制應與捲瓣蘭的授粉有關。

黃萼捲瓣蘭

科別：蘭科
學名：*Bulbophyllum retusiusculum*
類型：多年生草本（附生蘭）
生育環境：海拔500～1000m左右的闊葉林
花期：9～12月
莖與葉片
莖的特徵：假球莖卵圓形，綠色，長1cm，每一假球莖距離約2～4cm
葉的特徵：葉單一，狹長橢圓形，長7cm，厚革質
花朵
著生位置：花莖由假球莖基部抽出，花5～8朵，花序近繖形花序
苞片：3個鞘狀苞
類型：雌雄同株
大小：花瓣2.8～3.5mm長；唇瓣2mm長；側萼片1～1.4cm長
顏色：橘黃色（上萼片暗紅紫色）
花莖：長3.5～6cm
花被：上萼片卵形或略四方，側萼片甚長，捲曲狀，互相接觸，基部有紫色脈；花瓣橢圓形，具三條暗紫脈紋；唇瓣厚舌狀
雄蕊：花粉塊4個，2大2小，黃色
柱頭：蕊柱長1.5cm，具角狀突起，基部為深紫色
果實
型態：橢圓形
大小：1.5cm左右

馬藍

秋冬之際，北部低海拔山區的陰濕山壁上常可見馬藍的淡紫色筒狀花，而且一開就是成片繁花景致，非常漂亮，其姿色一點都不輸給園藝植物，甚至還有過之而無不及。

馬藍的花朵碩大，加上淡紫花色，在青鬱的闊葉林中十分突出，仔細觀察其花朵的構造，可看到全裂的萼片，還有筒形的花冠5裂，每一裂片又有向內凹的2淺裂，看起來宛如花朵的「蕾絲花邊」，是最容易辨認的特徵。

馬藍

科別：爵床科
學名：*Baphicacanthus cusia*
別名：山菁、大菁、馬蘭
類型：多年生小灌木
植株大小：高1m
生育環境：1000m以下的山區陰濕地帶，以北部、東部較多，台北近郊最常見
花期：8～11月

莖與葉片
莖的特徵：莖略呈方形，厚實，分枝不多
毛：葉有毛
葉的特徵：膜質，十字對生，長披針形，兩面有白色柔毛

花朵
著生位置：腋生，穗狀花序
苞片：葉狀，易脫落
類型：雌雄同株
大小：15cm長（花序），5cm長（單朵）
顏色：淡紫色
花莖：無花莖
花被：萼片全裂；花冠筒狀，5裂，每一裂片再2淺裂
柱頭：有顆粒狀毛髮
子房：長圓形

果實
型態：蒴果，光滑
大小：2.5cm長

秋

11月20日

台灣肺形草

台灣肺形草的漿果，成熟後紫紅色，有宿存花被。

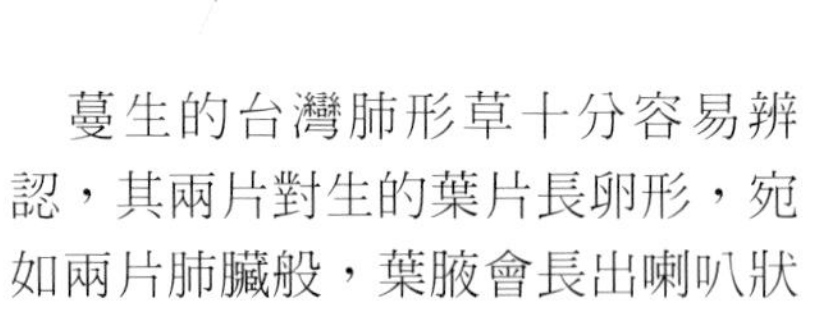

蔓生的台灣肺形草十分容易辨認，其兩片對生的葉片長卵形，宛如兩片肺臟般，葉腋會長出喇叭狀的綠白色花朵，非常明顯易認。

台灣肺形草是台灣特有的植物，分佈極廣，從海拔五百公尺一直到二千多公尺的山區都找得到它，多半繁生於闊葉樹林的邊緣或較稀疏的林中，喜濕潤且半遮蔭的環境。它的莖有獨門功夫，其非凡的卷旋和攀緣向上的能力，使它可以在生存競爭十分激烈的闊葉林中爭取到足夠的空間和陽光。

台灣肺形草

科別：龍膽科
學名：*Tripterospermum taiwanense*
英名：Taiwan crawfurdia
別名：紅瓜藤、闊葉肺形草
類型：多年生蔓性草本
植株大小：高150㎝左右
生育環境：海拔500～2300m中低海拔的闊葉林林緣
花期：9～11月

莖與葉片

莖的特徵：莖蔓性，光滑，有分枝，節間長
葉的特徵：葉片大，有柄，對生，卵形至長卵形，葉面深綠，背面白綠，全緣，軟革質

花朵

著生位置：腋生，單朵或總狀花序
苞片：小
類型：雌雄同株
大小：4～4.2㎝長
顏色：綠白色或帶淡紫色
花莖：短
花被：萼片鐘狀，頂端深5裂；花冠伸長成管狀，5裂
雄蕊：5枚，花絲細長
柱頭：2裂
子房：長圓柱形，有短柄，底部5裂

果實

型態：漿果，成熟後紫紅色，有宿存花被

毛胡枝子

毛胡枝子是台灣原生的豆科植物，多生長在中低海拔山區的山地、路旁或原野，爲直立性小灌木，葉片也是羽狀三出複葉。

毛胡枝子在葉背上有倒伏性軟毛，其他部位大多光滑，和想像中的毛茸茸植株有點差距。這種豆科植物的用途不少，可作飼料和綠肥之用，因爲豆科植物的根部大多有根瘤菌共生，可以固定土壤中的氮，因此大多是很好的綠肥植物，可以改善土壤的肥力。

毛胡枝子

科別：豆科
學名：*Lespedeza formosa*
別名：台灣胡枝子
類型：小灌木
植株大小：1～2m高
生育環境：低至中海拔山區、路旁和原野
花期：7～11月

莖與葉片
莖的特徵：直立，小枝條光滑
毛：葉背有軟毛
托葉：線形，2～3㎜長
葉的特徵：羽狀三出複葉，葉柄3㎝長，3小葉長卵圓形，互生，背面有倒伏性軟毛，稍呈淡粉白色

花朵
著生位置：腋生，總狀花序
苞片：2
類型：雌雄同株
大小：7～8㎝長（花序），1㎝長（單朵）
顏色：紫色
花莖：3㎜長
花被：萼片4裂，頂端齒狀尖銳；花冠蝶形
雄蕊：9枚雄蕊合生，1枚單生（二體雄蕊）
柱頭：長
子房：紡錘形，有毛

果實
型態：莢果，卵形，扁平，不開裂
大小：1㎝長
種子：1顆，腎臟形

山油點草

山油點草的柱頭三裂，每一裂片再分叉為二，上覆紫色斑點；雄蕊6枚，與花被同長，花絲有紫色斑點。

柱頭　雄蕊

山油點草是台灣中低海拔山區十分常見的野花，因其葉片和花朵等部位具有油點，故稱之爲油點草。

山油點草與同屬的兄弟——台灣油點草（請見下頁）非常相似，乍看之下，區分似乎很不容易，但可由以下兩點來加以區隔：山油點草具走莖，台灣油點草沒有；山油點草的花被6片，分大小兩組，外圍3片較大，呈卵形，內圍3片較小，呈線形，而台灣油點草的6片花被則大小完全相同。

山油點草

科別：百合科
學名：*Tricyrtis stolonifera*
類型：多年生草本
植株大小：40～60㎝長
生育環境：低至中高海拔山區闊葉林下或路旁
花期：夏～秋（7～11月）

莖與葉片
莖的特徵：地下根莖蔓生，很長，地上莖直立，波狀彎曲，幼時淡紫色，成長呈光滑深綠
毛：莖、葉背、花莖有毛
葉的特徵：葉無柄，橢圓形，6～12㎝長，基部有鞘，葉背有毛

花朵
著生位置：鬆散的繖形花序，頂生，3～5朵花
苞片：卵形到披針形
類型：雌雄同株
大小：2～3㎝長
顏色：紅紫色，內有紫色斑點
花莖：有軟毛，2.5～3㎝長
花被：6枚，成2組，外圍呈卵形，內圍線形，基部為黃白色，漏斗狀
雄蕊：6枚，與花被同長，花絲有紫色斑點
柱頭：長，3裂，每一裂片再分叉為2，同時又覆有紫色斑點
子房：光滑

果實
型態：蒴果，光滑，直立，有三稜
種子：量多

台灣油點草

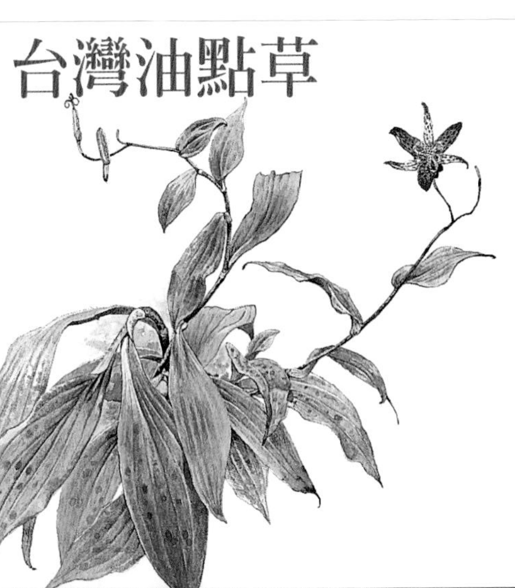

台灣特有的台灣油點草和山油點草一樣，是秋冬之際的野花重頭戲之一，在滿目蕭瑟的山野間，突然在陰濕的林緣斜坡或山溝兩側，發現成片的油點草，確實讓人印象深刻。

台灣油點草的花被6片，外形頗似百合，不過它的柱頭和山油點一樣，十分奇特，值得仔細觀察。油點草的花柱相當明顯而突出，甚至可說是整朵花的焦點所在，其中柱頭三裂，每一裂片再分叉爲二，上覆紫色斑點。這種特殊形狀的柱頭是油點草最容易記住的特徵。

台灣油點草

科別：百合科
學名：*Tricyrtis formosana*
英名：Taiwan toad lily
別名：石溪蕉、竹葉草、石水蓮
類型：多年生草本
植株大小：50～80㎝長
生育環境：海拔3000m以下的森林地帶，尤其是潮濕陰暗處
花期：秋～冬季（9～12月）

莖與葉片
莖的特徵：莖波狀彎曲，有分枝
葉的特徵：葉無柄，披針形，8～13㎝長，葉背有毛，尤其在葉脈上，葉脈平行全緣，葉柄基部有鞘，表面散生油點

花朵
著生位置：疏繖房花序
類型：雌雄同株
大小：2～2.5㎝長（單朵）
顏色：白紫色，有紫紅色班點
花莖：4～15㎝長，有毛
花被：花被6枚，披針形，成喇叭狀
雄蕊：6枚，花藥形態多變
柱頭：長，3裂
子房：圓球形，3室

果實
型態：蒴果，有三條縱稜
大小：2.5～3.5㎝長
種子：小而量多

布勒德藤

布勒德藤是生長在中低海拔闊葉林下或潮濕山壁的野牡丹科植物，外形與小金石榴（請見76頁）非常相似，也同樣有紅色的花莖，花苞頂端深粉紅色，花朵白色。不過兩者之間最易分辨的特徵是布勒德藤的葉片表面及背面皆覆有稀疏白刺，而小金石榴則無；此外花藥的顏色也可供區別，布勒德藤的花藥爲深粉紅色，而小金石榴的花藥則爲淡粉紅色；同時兩者的分佈區域也稍有不同，小金石榴以南部和東南部較多見，布勒德藤的分佈則沒有明顯的差別。

花藥

布勒德藤的特殊花藥造型，呈線形、捲曲，十分明顯。

布勒德藤

科別：野牡丹科
學名：*Bredia hirsuta* var. *scandens*
英名：climbing bredia
類型：小灌木
植株大小：1m高
生育環境：海拔800～2000m之中低海拔闊葉林下或潮濕山壁
花期：7～11月

莖與葉片
莖的特徵：直立或攀緣性，帶紫色，有粗毛，莖略呈圓柱狀
毛：全株被有粗毛
葉的特徵：卵形或卵圓形，上下兩面皆覆有稀疏白刺，葉柄有粗毛

花朵
著生位置：頂生，聚繖花序
類型：雌雄同株
大小：5～7㎝長（花序）
顏色：白色
花莖：鮮紅色，很明顯
花被：萼片漏斗狀，4裂，裂片披針形；花瓣4，卵圓形
雄蕊：8枚，長短不同，4枚長雄蕊的花藥線形、捲曲，十分顯著
柱頭：小
子房：4室，與萼片合生

果實
型態：蒴果，縱裂，萼片宿存，倒錐形，成熟赤褐色
大小：6～8㎜長
種子：很小，長卵形，有稜

蔓黃菀

蔓黃菀的外圍舌狀花7～10朵，中央管狀花多數。

蔓黃菀是蔓性多年生草本，其莖曲折、富攀緣性，頂端常呈「之」字形上升，外形與黃菀（請見98頁）大不相同。此外，蔓黃菀的生長從低海拔山區開始即有分佈，海拔高度比黃菀的要求低了許多，也因此成爲非常常見的野生菊花之一。

蔓黃菀的花朵和其他菊科植物大同小異，但其外圍的舌狀花約有7至10朵，而中央的管狀花則爲多數，兩者均爲金黃花色，開起花來，聲勢浩大，尤其陽光照射下，滿樹金黃，讓人爲之震懾，頗有燦爛秋色之感。

蔓黃菀

科別：菊科
學名：*Senecio scandens*
別名：千里光、固脾草、九里明
類型：多年生草本
植株大小：長2～5m
生育環境：低海拔至高海拔各山區山坡及溪谷、河岸
花期：7～11月

莖與葉片
莖的特徵：莖細長，多分枝，蔓性，幼株覆細毛，成株則光滑，莖上有縱紋
毛：幼株的莖及葉片、花序
葉的特徵：互生，葉有柄，長三角形，兩面有軟毛，葉緣不規則鋸齒

花朵
著生位置：頂生，繖形花序，呈一大叢，密生軟毛
苞片：苞片8枚，總苞圓柱形
類型：雌雄同株
大小：徑1.3～1.4㎝（頭狀花）
顏色：黃色
花莖：花梗長0.5～1㎝
花被：外圍舌狀花7～10朵；中央管狀花多數，頂端5裂
柱頭：2歧

果實
型態：瘦果，圓柱形，有白色冠毛及縱溝
大小：3㎜長

玉山石竹

玉山石竹的外形與大家熟知的康乃馨頗爲相似，因爲它們同屬石竹科。玉山石竹的花朵有5枚花瓣，從長長的花萼筒中伸出，花瓣先端有如撕裂狀的長爪，此即玉山石竹最容易辨認的特徵。

玉山石竹一年四季均可見其開花，但不開花時並不容易在岩石地或高山草原中發現它，主要是因爲它的莖和葉均又細又長，在草叢中很容易被淹沒。不過一旦綻放深粉紅色的花朵，老遠就可以找到它，玉山的塔塔加鞍部、八通關、父子斷崖等地，常常都能看到玉山石竹的美麗花朵。

玉山石竹的花瓣先端有如撕裂狀的長爪，此即其最易辨識的特徵。

玉山石竹

科別：石竹科
學名：*Dianthus pygmaeus*
類型：多年生草本
植株大小：15～30cm高
生育環境：海拔1300～3100m之向陽開闊地或岩層地
花期：全年，6～7月為盛花期

莖與葉片
莖的特徵：直立細長，呈叢生狀
葉的特徵：線形，2～3cm長，無柄

花朵
著生位置：單生或幾朵組成總狀花序，頂出或腋出
苞片：4，成2組，外圍長形，內圍卵形
類型：雌雄同株
大小：3～3.5cm長
顏色：粉紅色
花莖：光滑，5～8cm長
花被：萼片圓柱狀，頂端有5齒；花瓣5，卵圓形，邊緣呈長爪狀
雄蕊：10枚
柱頭：2，長形
子房：有柄，1室，圓柱形

果實
型態：蒴果，圓柱狀
大小：1cm長
種子：很小

油菊

油菊只生長在中高海拔的山區，由於花朵油亮亮的，很像浸過油似的，所以被稱爲油菊。其葉背有「T」字形軟毛，與玉山毛蓮菜（請見33頁）相似，非常特別。

油菊是著名的外傷用藥草，認識它之後，萬一在野外不小心受傷，可以取其葉片搗爛外敷，相當有效，是很好的野外求生植物。

油菊

科別：菊科
學名：*Chrysanthemum indicum*
類型：多年生草本
植株大小：100cm以下
生育環境：海拔1500～2500m之林下及草生地
花期：9～11月
莖與葉片
莖的特徵：走莖多，地下根莖蔓生，莖多葉，覆有會脫落的軟毛
毛：莖、葉背有軟毛
托葉：葉柄基部有葉形假托葉，十分明顯
葉的特徵：長卵形，羽狀深裂，葉背有軟毛，互生
花朵
著生位置：頂生，繖狀花序
苞片：4列，長形至卵形
類型：雌雄同株
大小：徑2.5cm（頭狀花）
顏色：黃色
花莖：細長
花被：外圍舌狀花；中央管狀花
果實
型態：瘦果，略微彎曲，5稜，褐色
大小：1.8mm長

喜岩菫菜

花如其名的喜岩菫菜經常長在中高海拔的中央山脈山區岩石上，如此柔弱的外表竟選擇對植物最嚴苛的環境生長，不得不讓人對它刮目相看。

喜岩菫菜以走莖蔓生在石壁上，只要有淺薄的土層，它即能生長，而簇生的卵狀心形葉片也與其他菫菜有別。每當花期一到，岩石上便開滿了白色的喜岩菫菜，宛如眾多的白粉蝶停棲在石頭上，隨風飛舞，蔚為夏秋中高海拔山區的野外盛景之一。

喜岩菫菜

科別：菫菜科
學名：*Viola rupicola*
類型：多年生草本
生育環境：海拔2000m的中央山脈地區
花期：7～11月

莖與葉片
莖的特徵：走莖蔓生
毛：葉柄、葉片、花莖有毛
托葉：披針形，5～7㎜長，鋸齒狀
葉的特徵：卵狀心形，1.5～3.5㎝長，葉緣疏鋸齒，葉柄2～8㎝長，呈簇生狀

花朵
著生位置：由葉叢中伸出長花莖，單生
類型：雌雄同株
大小：徑8～15㎜
顏色：白色，有淡紫色條紋
花莖：4～10㎝長
花被：萼片卵狀披針形；花瓣長形，有距
柱頭：粗短
子房：光滑，圓球狀

果實
型態：蒴果
大小：4～8㎜長

森氏菊

森氏菊是台灣的原生植物，也是少數分佈在高海拔（三千公尺以上）地區的菊科開花植物，主要在中部南投至東部花蓮一帶的中央山脈石灰岩地區才找得到它，由於生育地狹隘，數量並不多，也列名於台灣稀有植物名錄之中。

森氏菊

科別：菊科
學名：*Chrysanthum morii*
類型：多年生草本
生育環境：高海拔石灰岩山區
花期：9～11月

莖與葉片
莖的特徵：匍匐狀走莖，很少分枝，光滑，枝有白柔毛
毛：枝及葉有白柔毛
葉的特徵：莖下方葉片單一，互生，羽狀裂，莖生葉厚，有柄，闊卵形，長2～4㎝，掌狀裂或3深裂，葉表、葉背均有毛

花朵
著生位置：單生，頭狀花
苞片：苞片覆瓦狀排列呈半圓形總苞
類型：雌雄同株
大小：徑2～3㎝
顏色：白色
花莖：花梗長
花被：外圍雌性的舌狀花較少；中央盤生的管狀花尖端5齒裂，0.35㎝長

果實
型態：瘦果，5～10稜
大小：長0.2㎝

黃菀

從仲夏一直開到晚秋的黃菀，此時已近花期尾聲，爲台灣高山的秋天畫下最完美的句點。

黃菀多半生長於中高海拔山區的路旁或是台灣冷杉、鐵杉林的邊緣，這種高度可及腰高的野花，成群叢生，盛開時，一片金黃色花海與蒼翠的冷杉林，相映成趣，構成高山野花的絕佳景致。

黃菀的葉形及葉片大小多變，很容易讓人誤以爲是不同種類的植物，其實它是因環境條件的不同而有所變異。

黃菀

科別：菊科
學名：*Senecio nemorensis*
英名：formosan senecio
別名：金里光、金花草、林蔭千里光
類型：多年生草本
植株大小：長45～100㎝
生育環境：海拔2200～3800m高山開闊草原、針葉林下、向陽坡地
花期：8～11月

莖與葉片

莖的特徵：具地下根莖，莖上部多分枝
葉的特徵：互生，披針至長橢圓披針形，有柄，邊緣小鋸齒，葉片大小、形狀多變

花朵

著生位置：多數頭狀花排列呈繖房花序
苞片：總苞筒狀，長6～7㎜
類型：雌雄同株
大小：長1～2㎝（頭狀花）
顏色：黃色
花莖：花梗長5～15㎝
花被：外圍舌狀花5朵，中央管狀花約20朵
柱頭：分歧

果實

型態：瘦果，圓柱形，有縱溝及白色冠毛
大小：3.5～4㎜長

冬天的野花

芒花和白茅是冬季繽紛的雪色
休耕田裡　野花歡慶新年
招展的紫雲英　多粉的小葉灰藋
美麗與忙碌都趁這一季農閒

咸豐草

咸豐草最著名的特徵是頂端具倒鉤刺的黑褐色瘦果，這小小的果實（鬼針）大概無人不知、無人不曉，不論人畜、不論大小，只要經過咸豐草的身旁，它總有辦法附著人或動物的身上，搭一程便車，以找到適當的落腳處。而這個厲害的倒鉤刺構造其實是宿存的萼片，並非果實本身。下次鬼針沾滿褲管時，先別忙著咒罵它們，請先仔細欣賞這大自然的傑作，植物爲了傳播下一代也是煞費苦心的。

咸豐草是著名的民間藥草，有清肝、活血和消炎解毒等療效，此外莖葉亦可炒食、煮食或泡茶飲用，是夏季很好的涼茶材料。

咸豐草

科別：菊科
學名：*Bidens pilosa*
英名：pilose beggarticks
別名：小白花鬼針、鬼針草、白花婆婆針
類型：一年生草本
植株大小：30～100㎝高
生育環境：海拔2500m以下的山區、原野和路旁
花期：全年

莖與葉片
莖的特徵：莖直立，方形，多分枝，莖節帶淡紫色
葉的特徵：對生，有柄，羽狀3～5全裂，裂片卵狀，粗鋸齒緣，長3～6㎝

花朵
著生位置：頂生或腋生，頭狀花排列成繖房花序
苞片：總苞綠色，線形
類型：雌雄同株
大小：徑1㎝左右（頭狀花）
顏色：周圍白色，中央黃色
花莖：3～6㎝
花被：外圍舌狀花5～8朵，倒寬卵形，淺3裂；中央管狀花50朵，4裂
柱頭：2裂

果實
型態：瘦果，黑褐色，線形，多數，具4稜，上方有3條具逆刺的宿存萼片
大小：長1～1.5㎜
種子：多數

大花咸豐草

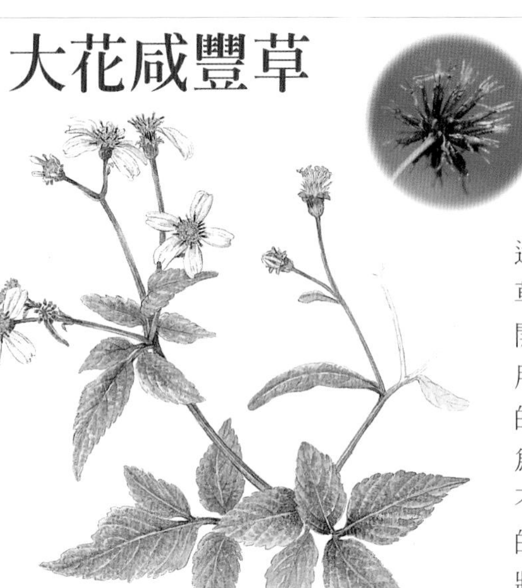

大花咸豐草的瘦果（俗稱鬼針）上方有3條具逆刺的宿存萼片，非常容易附著在人畜身上。

大概很少人不認識大花咸豐草這種植物，特別是它那厲害無比的果實，只要一沾上身，總要花費許多工夫才能清理乾淨，無怪乎讓人又敬又怕的。

大花咸豐草與咸豐草（請見前頁）非常相似，只不過植株粗壯許多，頭狀花也大得多，而且大花咸豐草只分佈在平地至低海拔的平野，所以兩者還算容易區分。當初蜂農將大花咸豐草從琉球引入台灣，便是看上它四季開花，花粉產量大，可供蜜蜂採集利用。結果，強悍的繁衍力和設計精巧的種子傳播方式，使得大花咸豐草成爲平地、路邊野生植物的優勢族群，不妨仔細將它的瘦果（俗稱鬼針）上的倒鉤刺與野棉花（請見38頁）的傘狀倒鉤比較一下，看看究竟誰比較厲害。

大花咸豐草
科別：菊科
學名：*Bidens alba*
英名：big bidens
別名：大白花鬼針
類型：一年生草本
植株大小：高130㎝
生育環境：平地至低海拔草地、路旁、平原
莖與葉片
莖的特徵：莖直立，近方形，上部有稀疏捲毛，多分枝，具縱稜
葉的特徵：對生，2回羽狀裂，有3～11片小葉，葉柄長，小葉卵形或卵狀披針形
花朵
著生位置：腋生或頂生，呈繖房狀排列
苞片：7～8片
類型：雌雄同株
大小：徑3㎝（頭狀花）
顏色：白色，中央黃色
花莖：3～10㎝
花被：外圍舌狀花5～8枚，卵狀披針形，先端淺3裂；中央管狀花多數，5裂，裂片三角形
柱頭：2歧
果實
型態：瘦果，披針形，多數，4稜，有3～4個具逆刺的宿存萼片
種子：多數

12月3日

山萵苣

山萵苣的橢圓形瘦果，先端呈嘴狀，有白色冠毛。

山萵苣是台灣著名的野菜，其幼苗及嫩莖葉可食，以沸水川燙去其苦味，再行炒食、煮湯皆十分可口，可作一般蔬菜食用。此外，山萵苣也是鴨、鵝的最佳飼料，因此又被稱爲鵝仔草或山鵝菜。

山萵苣全株有豐沛的白色乳汁，葉形多變，呈長橢圓形或披針形，有的全緣，有的羽狀分裂，根生葉又比莖生葉大，最好要清楚辨明之後再行採食，尤其是菊科山萵苣屬的成員外形均相當類似，原本就十分容易混淆。

山萵苣

科別：菊科
學名：*Lactuca indica*
英名：wild lettuce
別名：馬尾絲、鵝仔草、山鵝菜
類型：一年生或二年生草本
植株大小：60～200㎝高
生育環境：向陽荒廢地、路旁、海濱、田邊
花期：全年

莖與葉片

莖的特徵：莖中空，光滑，直立，單一或頂端有分枝，有白色乳汁
毛：全株光滑無毛
葉的特徵：葉形多變化，長橢圓形或披針形，葉背灰白色，長15～18㎝，全緣或羽狀裂，幼株簇生葉深鋸齒狀，成株的莖生葉則長披針形

花朵

著生位置：頭狀花排列成圓錐花序
苞片：光滑，紫色，卵形到披針形
類型：雌雄同株
大小：20～40㎝長（花序），徑2㎝（頭狀花）
顏色：淡黃色稍帶紫色
花莖：1～2.5㎝長
花被：由舌狀花聚集而成

果實

型態：瘦果，橢圓形，扁平，先端呈嘴狀，有白色冠毛
大小：長約5mm

紫背草

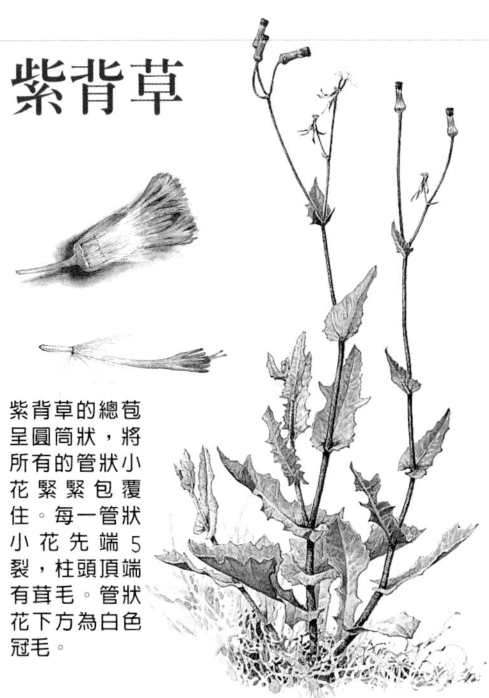

紫背草的總苞呈圓筒狀，將所有的管狀小花緊緊包覆住。每一管狀小花先端5裂，柱頭頂端有茸毛。管狀花下方為白色冠毛。

紫背草和山萵苣（請見前頁）一樣有豐沛的白色乳汁，乳汁味道極苦，因此若取其嫩莖葉作野菜，亦需以沸水川燙去其苦味。不過兔子很愛吃紫背草的葉子，牠們似乎一點都不在意它的苦味。

紫背草因葉片背面常呈紫紅色而得名（也被稱爲「葉下紅」），但這個特徵會因環境條件的不同而有所差異，反而它的別名「一點紅」是比較貼切而且容易記住的。紫背草的綠色總苞很長，幾乎將所有的管狀小花緊緊包覆住，只露出頂端一小撮的紫紅色，遠遠觀之，確實是點點紫紅。

紫背草

科別：菊科
學名：*Emilia sonchifolia*
英名：sowthistle tasselflower
別名：一點紅、葉下紅、牛石菜
類型：一年生草本
植株大小：15～40㎝
生育環境：平地、荒廢向陽地、農地、海濱
花期：全年

莖與葉片

莖的特徵：直立，全株呈綠白色，但莖葉背光處則略呈紫紅色
毛：全株被有細毛
葉的特徵：上部的葉基部環抱莖，披針形，粗鋸齒緣；下部的葉羽狀深裂，心形或卵形，柄有翼；葉背紫紅色

花朵

著生位置：頭狀花，呈繖房狀排列
苞片：總苞呈圓筒狀；苞片廣線形
類型：雌雄同株
大小：長1㎝
顏色：紅紫色
花莖：花有長梗
花被：全為管狀花組成，先端5裂
柱頭：頂端有茸毛

果實

型態：瘦果帶有白色冠毛，5稜形
大小：0.3㎝

紫花藿香薊

紫花藿香薊的管狀小花先端5裂，花冠外側有腺毛，長長伸出花冠外的是成叉狀的柱頭。

紫花藿香薊原產南美，早期由日本人引入台灣作觀賞植物，結果逸出後到處滋生，成爲台灣最常見的平地野花之一，也是令農民頭痛不已的雜草。

和白花藿香薊（請見下頁）相較之下，紫花藿香薊喜愛生長在比較潮濕而肥沃的土壤中，而白花藿香薊則大多生長在比較乾燥而貧瘠的土壤上，因此專家常以這兩者作爲土壤狀況或氣候因子的「指標植物」。不過，紫花和白花藿香薊亦常成群混生，白紫相間，非常漂亮，甚至也出現了自然雜交的現象，即花朵顏色不白不紫，值得進一步觀察。

紫花藿香薊的花期極長，由深秋一直開到隔年的初夏，天氣越熱，開花就越來越少，盛夏是完全看不到它們的。

紫花藿香薊

科別：菊科
學名：*Ageratum houstonianum*
英名：Mexican ageratum
別名：紫花毛麝香、墨西哥藍薊
類型：一年生草本
植株大小：30～110㎝
生育環境：荒廢向陽地、平地、農地
花期：9月～翌年5月

莖與葉片
莖的特徵：直立
毛：全株密生軟毛
葉的特徵：廣心臟形，有柄，對生或互生，圓鋸齒緣，葉基呈心形，兩面密生柔毛

花朵
著生位置：頂生，頭狀花密集呈繖房狀排列
苞片：總苞較大，苞片先端長而尖
類型：雌雄同株
大小：徑0.5㎝
顏色：紅紫色或淡粉紅色
花莖：細長
花被：全部由管狀花組成，先端5裂，花冠外側有腺毛
雄蕊：數量多，藏於花冠內
柱頭：成叉狀，伸出花冠外

果實
型態：瘦果，黑色，4稜，有白色冠毛

白花藿香薊

白花藿香薊常形成大片純藿香薊群落，一旦佔領該地，其他草類是難以抗衡的。其種子產量極高，頂上還有可隨風飄散的冠毛，因此往往可以快速佔領各生育地。

白花和紫花藿香薊（請見前頁）的全株皆有種特異氣味，以手輕觸莖葉，強烈氣味撲鼻而來，至於是香或是臭則見仁見智。仔細觀察它們的花朵，其頭狀花皆由兩性的管狀花組成，而伸出花冠外的毛狀物則是分二歧的柱頭，十分特別，也是藿香薊最容易辨識的特徵。

白花藿香薊由於取材容易，加上葉片柔軟，蒸散作用明顯，因此常作爲生物課本中「葉片蒸散作用」的自然教材材料。

白花藿香薊

科別：菊科
學名：*Ageratum conyzoides*
英名：tropic ageratum, floss flower
別名：藿香薊、柳仔黃、鹹蝦花、勝紅薊、毛麝香
類型：一年生草本
植株大小：高50cm
生育環境：平地、荒廢向陽地、田邊，到處可見
花期：9月～翌年5月

莖與葉片
莖的特徵：直立
毛：全株有軟毛
葉的特徵：對生，卵形或略作心形，長5～13cm，有柄，葉片兩面及柄均有毛

花朵
著生位置：頭狀花排列呈繖房狀
苞片：總苞鐘形，苞片2～3列，線形
類型：雌雄同株
大小：徑約1cm
顏色：白色
花莖：細長
花被：全部由管狀花組成，先端5裂
柱頭：成叉狀，伸出花冠外

果實
型態：瘦果，線狀長橢圓形，黑色，5稜，冠毛5枚，先端長芒狀

山煙草

山煙草是平地至低海拔山野相當常見的灌木，尤其簇生枝梢的橙黃色小果實，更讓人難以錯認，若非它的果實比枇杷小得多，恐怕很多人都會將它誤以爲是野生的枇杷。

山煙草全株有種特別的臭味，只要輕碰枝葉，那股強烈的氣味就會讓人退避三舍，想要對它記憶深刻，不妨聞聞看這股異味。

山煙草的花朵是典型茄科茄屬的特徵，雖然十分小巧又呈白色，但其中央的鮮黃色花藥卻非常特別，5枚雄蕊頂端的花藥相互緊靠，構成一輪鮮黃的焦點，而白色花冠在盛開後會向後反捲，使中央的雄蕊與柱頭更形突出。

山煙草

科別：茄科
學名：*Solanum verbascifolium*
英名：wild tobacco, Mullein nightshade
別名：樹茄、土煙、生毛將軍、大黃葉
類型：灌木
植株大小：0.5～5m高
生育環境：低海拔地區（800m以下）次生草地、荒地、灌叢
花期：5～8月盛花期，全年可見開花
莖與葉片
莖的特徵：分枝不多，莖上覆有黃褐色的星狀毛
毛：全株被有濃密的星狀毛
葉的特徵：互生，多毛茸，卵狀披針形至橢圓形，厚紙質，10～23cm長，葉背為灰綠色
花朵
著生位置：聚繖花序，頂生，外覆厚厚的星狀毛
類型：雌雄同株
顏色：白色
花莖：6cm長
花被：萼片5裂；花冠輪形，5裂
雄蕊：5枚，花藥鮮黃色，緊密排列於中央
子房：圓球形，覆有濃密星狀毛
果實
型態：漿果，熟時呈橙黃色，圓球形，光滑，有宿存花萼
大小：徑1cm

紅花石斛

紅花石斛是台灣特有的著生蘭之一，只生長在蘭嶼島上海拔二百至五百公尺的熱帶海岸林中，大多著生於樹幹上。原本相當常見，但因紅花石斛的生態分佈過於狹隘，以致環境一旦發生改變，它的數量便會產生急劇變化，現已列名爲台灣稀有植物的一員。

紅花石斛

科別：蘭科
學名：*Dendrobium miyakei*
類型：多年生草本（著生蘭）
植株大小：高約60cm
生育環境：蘭嶼200～400m熱帶海岸林的樹幹
花期：3～12月，花不定時開放

莖與葉片
莖的特徵：密集叢生，直立或懸垂，節間肥短；假球莖卵形，位於莖基部
葉的特徵：葉多數，互生，二列排列，披針形或闊披針形，長5～10cm，中肋於背面隆起

花朵
著生位置：花序自無葉之老莖節上長出，1～4朵叢生或近似總狀花序，腋出，花朵下垂
苞片：苞片小，三角形
類型：雌雄同株
大小：花序長2.5cm以下
顏色：紫紅色
花莖：1.3cm長
花被：萼片卵形或卵狀長橢圓形；花瓣橢圓形，唇瓣圓形舌狀
雄蕊：花藥黃色，杯形
柱頭：蕊柱短，長2～3mm

12月9日

冷清草

一看到冷清草的出現，就知道幽暗陰濕的闊葉林或瀑布溪澗不遠了。

冷清草常呈大群落出現，性喜潮濕，是非常常見的森林下層地被植物，同時也是山澗、瀑布兩旁主要的地被植物。其花朵雖小而不明顯，但多數小花簇生葉腋，倒也讓人一眼就能認出它。以往不認識它時，即使經常碰到也全然不知，如今只要看到冷清草，大概就能知道這個闊葉林的濕度情況以及光線的條件。

冷清草

科別：蕁麻科
學名：*Elatostema lineolatum* var. *majur*
類型：多年生草本
植株大小：高60㎝
生育環境：中低海拔山區陰濕的闊葉林下及山澗旁
花期：12～翌年2月
莖與葉片
毛：全株被有短毛
葉的特徵：平面式互生，幾乎無柄，葉背具纖柔毛，卵狀披針形，長7～13㎝
花朵
著生位置：腋生，頭狀聚繖花序
類型：雌雄異株，單性花
大小：很小，不明顯
顏色：綠色
花被：雄花被4片；雌花被4片
雄蕊：4枚
果實
型態：瘦果

大頭艾納香

大頭艾納香是低海拔山區的常見野花，多半在秋冬之際開花，花朵有點其貌不揚，全部由管狀花組成的頭狀花序向下懸垂，碩大的總苞反而成爲醒目的辨認特徵。

大頭艾納香的「大頭」，即指其碩大的總苞，由多列線形苞片呈覆瓦狀排列而成，由於苞片邊緣爲紫紅色，因此交錯成總苞外表的特殊花紋，十分容易記住。此外葉片邊緣有短刺，尤其頭狀花序向下開也和一般菊科植物大不相同，通常只要在野外碰過一次大頭艾納香，下次是絕對不會錯認的。

大頭艾納香

科別：菊科
學名：*Blumea riparia* var.*megacephala*
類型：多年生草本
植株大小：高90㎝以下
生育環境：低海拔山區林緣、次生林地
花期：9～12月

莖與葉片
莖的特徵：蔓性，細長，分枝多
毛：葉片、花朵、果實有毛
葉的特徵：長橢圓形，葉表綠色，葉背淡綠色，厚紙質，互生，葉緣有短刺

花朵
著生位置：多數頭狀花排成圓錐花序，頂生
苞片：線形，有毛，呈覆瓦狀排列，組成醒目的總苞
類型：雌雄同株
顏色：白黃色
花被：全由管狀花聚集而成，中央為兩性管狀花，周圍為雌性管狀花
子房：長圓柱形

果實
型態：瘦果，黑色，圓柱形，有10肋，多毛，冠毛長6㎜
大小：1.5㎜長

白茅

白茅的地下根莖發達，縱橫土壤深處，非常難以根除，以「野火燒不盡，春風吹又生」來形容它是再恰當不過的，火燒後只再短短兩週即可迅速萌發，進而形成完全由白茅組成的大草原。雖然白茅是農田中難以除盡的雜草，卻是荒山極佳的水土保持植物，同時也是土壤肥力的指標植物，只要是白茅族群盤據生長的地方，往往就是土壤肥力不足、生產力較低的地區。

白茅的地下根莖被稱爲茅根，味甜，有去寒熱、利尿之效，是非常著名的涼茶原料。而花序上的白色絲狀毛則是民間藥草，可用以止血，同時其葉片是以往茅屋屋頂的最佳材料，因白茅葉片扁平緻密，防雨效果較芒草好，而且也比較耐用。

白茅

科別：禾本科
學名：*Imperata cylindrica* var. *major*
英名：woolly grass, Lalang grass
別名：茅草、地筋、絲茅
類型：多年生草本
植株大小：高30～80㎝
生育環境：向陽荒廢地最常見
花期：冬～早春

莖與葉片
莖的特徵：地下根莖發達，長而多節，黃白色；莖稈簇生、直立，2～5節，節間有芒
毛：花序長有白色絲狀毛，莖節、葉鞘、總苞、內外穎均有毛
葉的特徵：葉舌膜質，葉片狹長，線狀，葉緣粗糙

花朵
著生位置：由莖頂的葉鞘中伸出緊縮的圓錐花序，呈穗狀
苞片：總苞有白色絹毛
類型：雌雄同株
大小：長6～18㎝（花序）
顏色：白色
花被：小穗成對生於各節，內有2小花，小花之間密生白色長絲狀毛
雄蕊：黃褐色雄蕊2枚
柱頭：2歧，紫色

果實
型態：穎果，內外穎皆有白色絹毛，披針形，無芒
大小：長約15㎜

五節芒

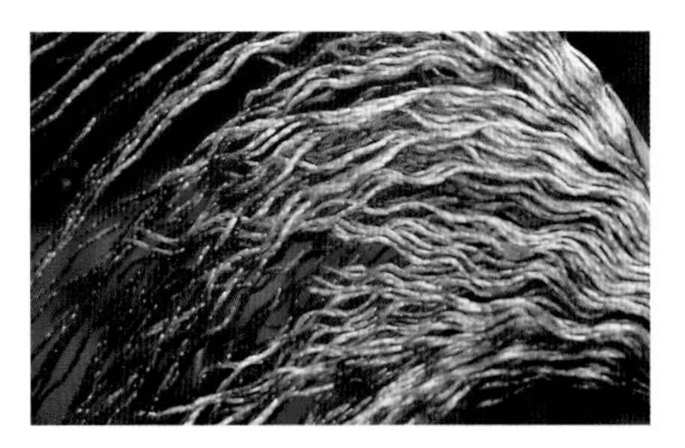

五節芒是台灣最常見的草本植物，台語稱之「菅芒」，幾乎走到那裡都看得到它的存在，除了五節芒強悍的適應能力之外，其種子數量之多與發芽力之高，均是其傲人的繁衍本領。

每年從九月、十月開始，五節芒必會準時抽出花穗，初時整串花穗呈紫紅色，成熟後便轉爲黃褐色或灰白色，是台灣秋冬野外最美麗的景致之一。不過在陽明山的地熱區域，五節芒的花穗往往呈現鮮艷的紅色，是最爲奇特的芒草草原景觀，不妨在十月間抽空前往欣賞。

接近五節芒時要格外小心，因其葉緣帶有矽質，並有微細的鋸齒構造，很容易割傷皮膚，建議觀察它時，一定要全副武裝，戴上帽子和手套，否則不掛彩也難。

不過根據植物學家研究，又將秋冬開花的稱爲台灣芒（*Miscanthus sinensis* var. *formosanus*），而春天開花的才是五節芒。但這兩者的外形卻幾乎是一模一樣，很難分辨。

五節芒

科別：禾本科
學名：*Miscanthus floridulus*
英名：Japanese silvergrass, manyflower silvergrass
別名：寒芒、菅草、菅蓁、芒草
類型：多年生草本
植株大小：高可達3m
生育環境：稻田、山腰及森林邊緣、向陽荒廢地
花期：秋季～春季

莖與葉片
莖的特徵：地下莖發達，稈節處有粉狀物
葉的特徵：葉舌圓形，有纖毛；葉互生，披針狀線形，長25～100cm，葉緣有矽質，會割傷皮膚

花朵
著生位置：莖頂抽出圓錐狀大花穗
類型：雌雄同株
大小：30～50cm長（花序）
顏色：黃褐色或紫紅色（陽明山）
花被：小穗成對，卵狀披針形，有2朵小花，基部有成束的紫紅色毛
雄蕊：3枚

果實
型態：穎果，長橢圓形

蘆葦

一般人對「蘆葦」之名朗朗上口，於是將比較容易看到的五節芒（請見前頁）也一律稱之爲蘆葦，卻反而讓正宗的蘆葦不爲人知。事實上，兩者差異不小，不妨趁此盛花期，仔細分辨這兩者吧！

首先，蘆葦一般長在河邊、沼澤地及沿海的沙洲鹽沼地間，而五節芒則到處可見；其次，蘆葦的節間明顯，花穗爲黃褐色，而五節芒的節間不明顯，花穗初綻時爲淡紫紅色；最後，可進一步用放大鏡觀察花穗，蘆葦的每一小穗有3朵小花，而五節芒的小穗則只有2朵小花。

蘆葦

科別：禾本科
學名：*Phragmites communis*
英名：common reed
別名：葦、蘆、蘆芛
類型：多年生草本
植株大小：高約1～3m
生育環境：灌溉溝渠旁、河堤沼澤地等
花期：8～12月

莖與葉片
莖的特徵：植株高大，地下根莖發達
葉的特徵：葉片2cm寬，葉舌1mm長，上緣撕裂狀；葉互生成2列，長線形或長披針形，長50cm

花朵
著生位置：圓錐花序
類型：雌雄同株
大小：15～35cm長（花序），1.4cm長（小穗）
顏色：白綠色或褐色
花被：每一小穗由3朵小花組成，花序最下方的小穗為雄花，其餘均雌雄同花

果實
型態：穎果，披針形，頂端有宿存花柱

甜根子草

甜根子草與甘蔗同屬，台語稱之爲「猴蔗」，是乾河床上的優勢族群，台灣著名的河流，如蘭陽溪、大安溪、濁水溪、曾文溪和高屏溪等的河床石礫上，皆有成片的甜根子草景觀，雪白的花穗迤邐綿延，蔚爲秋冬之盛景。

甜根子草耐濕又耐旱，抗風力強，因此早期亦常作爲海濱地區的防風定砂植物，以防止風砂吹襲而淹沒田園。

甜根子草的花序有絲狀毛，因此呈現出迷人的銀白色光澤，成熟時小穗及小穗柄會一起脫落、隨風飄散，僅有花序軸殘存，這也是它和五節芒最大的相異之處。

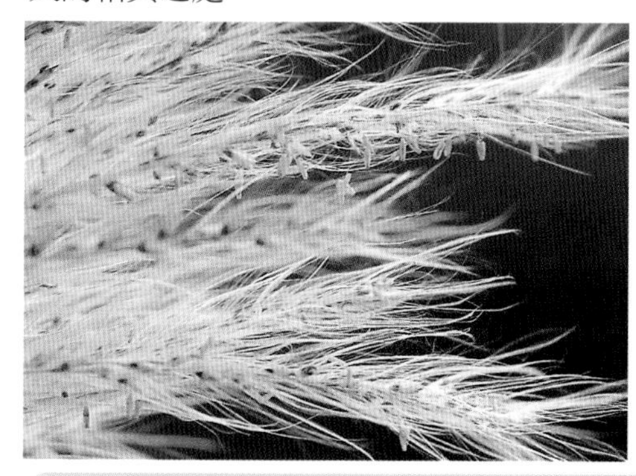

甜根子草

科別：禾本科
學名：*Saccharum spontaneum*
英名：wild sugracane, saccharum grass
別名：濱芒、猴蔗、野蔗、甘蔗萱
類型：多年生草本
植株大小：高1～2m
生育環境：多石礫的乾河床上及河邊砂質土壤上
花期：秋～冬季，10～11月為盛花期

莖與葉片
莖的特徵：地下根莖發達，莖稈直立，節下有白粉，嫩梢及節上密生白毛
毛：莖、葉、花序均有毛
葉的特徵：葉舌有毛，葉線形，細鋸齒緣，銳利

花朵
著生位置：圓錐花序，花序下有毛
類型：雌雄同株
大小：20㎝長（花序），3～5㎜長（小穗）
花被：小穗成對

果實
型態：穎果

鱧腸

要認得鱧腸，最容易的方式便是折一段莖葉，其斷面處會很快變黑，因此又被稱為「墨菜」。鱧腸多半長在潮濕的溝渠、田邊和濕地等，而根據觀察發現，只要環境的水分足夠，鱧腸就會向上長高，但如果生長在開闊地或長期缺水的地方，它就會匍匐地面，以減少莖葉的水分蒸散。

和其他菊科植物不同，鱧腸的黑色瘦果沒有冠毛，但卻能夠浮在水面上，藉著水流散佈各處，周而復始地在類似的潮濕環境中萌芽生長。

鱧腸是野菜也是藥草，由於富含鞣質，可治療出血、流鼻血等症狀，因此常被民間普遍使用。但做為野菜食用時，一定要先用沸水燙過，以去其苦澀味，而在以前的荒年時，鱧腸可是鼎鼎有名的救荒野菜。

鱧腸

科別：菊科
學名：*Eclipta prostrata*
英名：false daisy
別名：旱蓮草、墨菜、田烏菜
類型：一年生草本
植株大小：10～60cm高
生育環境：海拔1800m以下的山野、田間、溝旁、濕地
花期：全年，夏秋季為盛花期

莖與葉片
莖的特徵：粗糙，莖基分枝多，匍匐性，枝端向上生長，莖著土處易生根
毛：全株披短剛毛
葉的特徵：對生，披針形，幾乎無柄，葉緣細鋸齒或全緣

花朵
著生位置：腋生或頂生，頭狀花序
苞片：綠色，盤狀，總苞片2列
類型：雌雄同株
大小：徑9㎜
顏色：白色
花莖：1.5～4.5cm
花被：外圍雌性的舌狀花，末端平截或2分叉；中央為兩性的管狀花，末端4裂
柱頭：2裂

果實
型態：舌狀花的瘦果扁四稜形，管狀花的瘦果三稜形；均為黑色，表面有瘤狀凸起，沒有冠毛
大小：長3㎜

曼陀羅

原產於印度的曼陀羅，40年代以前在台灣南部農家附近或海邊荒地都看得到它的野生群落，但1985年以後即已逐漸失去蹤跡，如今僅在蘭嶼的海邊長有野生的曼陀羅。

曼陀羅全草有毒，但民間常用來治療老人咳嗽、氣喘，而古籍中亦很早即有採用曼陀羅作爲麻醉藥之用的紀錄，無獨有偶的是，北美洲的印第安人也有使用曼陀羅的例子。

目前台灣比較容易看到的是大花曼陀羅(*Datura suaveolens*)，其喇叭狀花朵碩大，向下懸垂，是與花朵直立向上的曼陀羅最大的區別。大花曼陀羅的毒性類似曼陀羅，但以種子和花朵最毒，開花時夜晚會釋出強烈的刺激性香味，可能是爲了吸引特定的傳粉媒介，不過在台灣的結果率非常低。

曼陀羅

科別：茄科
學名：*Datura metel*
英名：Jimsonweed
別名：曼桃花、萬桃花、洋金花、消鼓吹花
類型：一年生草本
植株大小：高1～1.5m
生育環境：低海拔荒地、沿海地區，目前蘭嶼海邊有野生族群
花期：全年

莖與葉片
莖的特徵：莖近木質
葉的特徵：卵圓形，基部歪斜，全緣或有疏鋸齒，長10～12cm

花朵
著生位置：頂生或腋生，花朵直立
類型：雌雄同株
大小：10～15cm長
顏色：白色微帶黃綠
花莖：短
花被：管狀萼片，5鋸齒；花冠漏斗狀，直立
雄蕊：5枚
柱頭：線形

果實
型態：蒴果球形，多短刺，不規則開裂
大小：徑約3cm
種子：三角形，有毒

山芙蓉

山芙蓉是秋冬野花的明星植物，花色一日數變，非常有觀賞價值，而且台灣海拔二千公尺以下的山野、路旁或平地，到處可見，是極富潛力的自然觀光資源。

山芙蓉的花朵在清晨初綻放時爲白色或粉紅色，到了午後至傍晚凋落前，則轉爲紫紅色或桃紅色，十分特別，值得仔細觀察記錄。

山芙蓉的花不僅好看，也是一種可口的野菜，不過要吃可要趁早，最好是清晨花朵剛開即採下，否則我們是絕對搶不過金龜子或其他昆蟲的，須臾之間，一大朵花的花瓣可能就被啃得殘缺不全了。當然，我們實在不必一定要和昆蟲爭相競食，這難得的自然美味還是留給牠們享用吧！

山芙蓉

科別：錦葵科
學名：*Hibiscus taiwanensis*
英名：Taiwan cotton rose, mountain rose-mallow
別名：台灣山芙蓉、狗頭芙蓉、千面美人
類型：大灌木或小喬木
植株大小：高3～8m
生育環境：中低海拔闊葉林至平地
花期：秋～冬季

莖與葉片
莖的特徵：木質、粗壯、直立，多分枝，枝有灰白色柔毛
毛：全株密生長毛
葉的特徵：互生，厚紙質，半圓形，長6～10cm，3～5淺裂，裂片為闊三角形，葉柄長14～17cm

花朵
著生位置：腋出，單朵
苞片：總苞8片，線形，長8～12mm
類型：雌雄同株
大小：徑7～10cm
顏色：白色，綻放後逐漸變成粉紅或紅色
花莖：具長花莖，6～8cm
花被：萼片鐘形，5裂，外被星狀粗毛；花瓣淺鐘形，基部連生，有毛
雄蕊：多數雄蕊基部合生為雄蕊筒

果實
型態：蒴果，球形，有毛
大小：徑2cm

星果藤

星果藤只產在恆春半島及蘭嶼的海岸林邊，是分佈相當狹隘的海邊植物，其花朵爲鮮艷的黃色，在強烈陽光照射下尤顯出色。

星果藤，顧名思議，乃因其翅果呈星形，各有翅3枚以上。除了這種特別的果實之外，最容易辨識的特徵其實是鮮紅色的花瓣短柄，這種瓣柄並不多見，而星果藤的5枚黃色花瓣都有瓣柄，而且顏色如此鮮艷，實在是非常奇特的花朵。

星果藤的5枚黃色花瓣都有鮮紅色的花瓣短柄，非常清楚易辨。

星果藤

科別：黃褥花科
學名：*Tristellateia australasiae*
英名：Maiden's jealousy
別名：三星果藤、蔓性金虎尾
類型：常綠蔓性灌木
生育環境：恆春半島及蘭嶼的海岸叢林邊
花期：夏～冬季

莖與葉片
莖的特徵：有顯著的皮孔
毛：全株光滑無毛
葉的特徵：對生，卵形或長卵形，長3.5～12cm，全緣，膜質，葉基有2個腺體

花朵
著生位置：頂生，總狀花序
類型：雌雄同株
顏色：黃色
花莖：小花梗長1.5～3cm
花被：花瓣5枚，有短柄，柄呈鮮紅色；花萼三角狀鈍形，5枚
雄蕊：10枚
子房：有毛

果實
型態：翅果星形，成熟時褐色，各著翅3枚以上
大小：徑約1～2cm

盒果藤

若從花朵的漏斗狀外形來看，盒果藤屬、牽牛花屬（請見春夏篇162～168頁）和菜欒藤屬（請見53頁）實在讓人分不清楚，但若一一從植物特徵下手，則這三屬植物之間的相異處便立竿見影了。

首先，牽牛花屬的花粉有刺，以放大鏡觀察花粉構造，馬上就可以將牽牛花屬的植物找出來。其次，菜欒藤屬的植物莖上沒有翼翅的構造，而且蒴果的開裂是四瓣裂或不規則裂。而盒果藤的果實正如名稱所示，成熟後會像盒子般掀開，此即特殊的「蓋裂」方式，此外，盒果藤屬的成員莖上一定有狹翼的構造，是非常清楚易辨的特徵。

盒果藤

科別：旋花科
學名：*Operculina turpethum*
英名：turpethum Ipomoea
別名：燈籠牽牛
類型：多年生藤本
植株大小：莖長可達10m以上
生育環境：低海拔地區，恆春半島常見
花期：6～12月

莖與葉片
莖的特徵：莖上有2～4稜狀狹翼，呈綠色或帶紫褐色
毛：全株被有毛茸
葉的特徵：互生，卵圓形，全緣，葉柄長，2.5～7.5cm，有短毛

花朵
著生位置：腋生，聚繖花序
苞片：大苞片，長橢圓或闊卵形
類型：雌雄同株
大小：徑3～4.5cm
顏色：白色，花冠筒基部呈黃色
花莖：2～18cm長
花被：花冠呈漏斗狀；萼片5枚，外圍2枚最大
雄蕊：5枚
子房：圓球狀，4室或3室

果實
型態：蒴果，扁球形，外覆宿存的萼片
大小：徑1.5cm
種子：黑色，大，徑約0.5cm

馬利筋

馬利筋的蓇葖果，內有卵形的褐色種子，並有2～4公分長的白色髮狀綿毛附生。

馬利筋的花朵艷麗如火，造型特殊，相信看過一次就不會忘記了。紅色的部分是其花冠，輪形深5裂，裂片向上翻捲，而中央又多了一層橘紅色的副花冠構造，有角狀突起，非常漂亮，同時也是馬利筋蘊藏豐富花蜜的地方，以吸引昆蟲為其授粉。

馬利筋全株有毒，但以白色乳汁的毒性最大，不過仍有許多蝴蝶的幼蟲以馬利筋為食，而鳥類多半不會捕食這類幼蟲，因為馬利筋的毒性會使其中毒。

馬利筋的種子也是一奇，在蓇葖果初開裂時要趕快觀察其特殊的排列方式，實在堪稱大自然的傑作。否則只要來一陣風，這些長有白髮狀軟毛的種子便會大展身手，隨風而去。

馬利筋

科別：蘿藦科
學名：*Asclepias curassavica*
英名：butterfly weed, blood-flower
別名：尖尾鳳、蓮生桂子花
類型：多年生草本
植株大小：40～180㎝高
生育環境：平地至低海拔的山野
花期：6～12月（夏～初冬）

莖與葉片

莖的特徵：莖單一或數分枝，直立，光滑，多乳汁
毛：小花梗、花萼和種子有毛
葉的特徵：對生，披針形或倒長披針形，7～13㎝長

花朵

著生位置：由葉腋間伸出花莖，聚繖花序，花多數
類型：雌雄同株
大小：7～9㎜長
顏色：紅色
花莖：3～6㎝長（花序），小花梗1.2～2㎝長，有毛
花被：萼片5，披針形，有毛；花冠輪形，深5裂，裂片向上翻捲，副花冠橘紅色，有角狀突起
雄蕊：多數，花藥蠟質，花粉聚集成塊
柱頭：扁平，5角狀
子房：2室

果實

型態：蓇葖果，卵狀長橢圓形，先端細尖
大小：5～8㎝長
種子：卵形，褐色，有白色髮狀綿毛附生（約2～4㎝長）

長春花

原產馬達加斯加島和非洲東部一帶的長春花，早在清朝以前就已引入台灣，這種溫暖的氣候讓長春花每月皆開花，因此台灣人又稱它為「月見」。

長春花是夾竹桃科的成員，若折斷其莖葉，一樣會流出有毒的白色乳汁，同時還會散發出令人不悅的特異臭味。它的花朵外形簡單好看，5枚裂片或白或紅，花心還搭配不同的顏色。乍看之下，根本找不到雄蕊或雌蕊，但可別誤以為它是不完全花，其實5枚雄蕊和1枚雌蕊都躲在花冠筒裡，要把花冠剝開才找得到它們的。

長春花

科別：夾竹桃科
學名：*Catharanthus roseus*
英名：Madagascar periwinkle
別名：日日春、雁來紅、四時春
類型：多年生草本
植株大小：30～60㎝高
生育環境：平地、海濱，到處可見
花期：全年

莖與葉片
莖的特徵：柔軟多汁，直立，基部會半木質化
毛：全株光滑無毛
葉的特徵：對生，膜質，倒卵狀橢圓形，長3～4㎝，頂端圓

花朵
著生位置：頂生或腋生，花2～3朵成聚繖花序
類型：雌雄同株
大小：徑3㎝
顏色：粉紅、白色、紫紅色，不過花冠背面皆為白色
花被：花冠下部為細長冠筒，上部5裂，水平開展，基部顏色較深
雄蕊：5枚，著生於冠筒內
柱頭：1枚，著生於冠筒內

果實
型態：蓇葖果2個，直立細長，有短柔毛
大小：長約2.5㎝
種子：表面有顆粒狀小瘤突起

半邊蓮

半邊蓮的花形奇特，好像缺了半邊似的，也因此而得名。它多半長在低海拔地區的水溝邊或潮濕處，常成片聚生，開起花來也是熱鬧非凡。

半邊蓮是歷史悠久的民間藥草，早在『本草綱目』即已記載半邊蓮主治：「蛇毒咬傷，搗汁飲，以渣圍塗之」。它含有數種植物鹼，若大量使用恐有呼吸麻痺、痙攣的危險，幸而目前並無人畜中毒的紀錄。

半邊蓮

科別：桔梗科
學名：*Lobelia chinensis*
英名：Chinese lobelia
別名：細米草、半邊荷花、鐮刀子草
類型：多年生草本
植株大小：高8～15cm
生育環境：低海拔水溝、潮濕地、田埂等
花期：全年

莖與葉片
莖的特徵：莖細長、匍匐狀，於節處生根
毛：全株光滑無毛
葉的特徵：互生，狹橢圓形或披針形，長1～2cm，葉緣有細鋸齒或全緣

花朵
著生位置：由葉腋伸出花朵，單生
類型：雌雄同株
大小：長0.5～1.2cm
顏色：白色或淡紅紫色
花莖：花梗長2～5cm
花被：花冠不整齊，裂片5枚，上唇2枚，下唇3枚
雄蕊：花絲結合成筒狀、花藥聚集的聚藥雄蕊
柱頭：2裂，有細毛
子房：有細毛

果實
型態：蒴果，圓錐形
大小：長約6mm
種子：多數，橢圓形

地膽草

得天獨厚的地膽草，四季開花、終年結果，在台灣低海拔山野可說是無處不長，不過它最喜愛乾燥的環境，相思樹林下的乾燥空地便成為地膽草的第一選擇，常見其成片生長。

地膽草的根生葉和尚未長出花朵的嫩葉可食用，但要先以沸水燙過、去其苦味。而其總苞的造型特殊，加上十分堅硬，在花朵凋謝之後仍會留在枝上，因此有人將其當成插花花材，頗受歡迎。

地膽草

科別：菊科
學名：*Elephantopus mollis*
英名：hairy elephantopus
別名：毛蓮菜、白花燈豎杇、丁豎杇
類型：多年生草本
植株大小：高30～100㎝
生育環境：低海拔、路旁、竹林、相思樹林內，到處可見
花期：全年

莖與葉片
莖的特徵：二叉狀分枝，直立
毛：全株被有白色硬毛
葉的特徵：互生，莖下方葉片較大，長橢圓狀倒卵形，長10～22㎝，表面粗糙，葉背有絨毛；莖上方葉片較小，倒卵形

花朵
著生位置：腋生或頂生，頭狀花呈總狀排列
苞片：葉狀苞片，總苞長橢圓形，先端刺狀，苞片成2列
類型：雌雄同株
顏色：白色
花被：由多數管狀花聚集而成頭狀花，花冠4深裂

果實
型態：瘦果，有5根硬剛毛組成的冠毛
大小：長3㎜

單花蟛蜞菊

單花蟛蜞菊的植株或葉形都比雙花蟛蜞菊（請見下頁）小，主要分佈在海濱沙灘上，呈塊狀生長，在沙灘以外的地區很少見，其領域拓展力與侵略性遠比不上雙花蟛蜞菊。兩者的區別除了大小和生長環境之外，最容易的便是名稱上的差別，一為單生的頭狀花，一為兩兩成對著生。

單花蟛蜞菊是優良的海岸定砂植物，完全適應了海灘的惡劣環境。當雨水多時，它的莖會長得又粗又長，全株蔓延極快，往往沒多久就可覆滿一小塊沙灘。但若長期缺水的話，它也可以緊縮生長速度，將莖葉短縮為簇生狀，以減少水分蒸散的面積。

單花蟛蜞菊

科別：菊科
學名：*Wedelia prostrata*
英名：prostrate wedelia, creeping wedelia, beach wedelia
別名：貓舌菊、天蓬草舅、地錦花、滷地菊
類型：多年生蔓性草本
植株大小：高可達30㎝
生育環境：南北海岸、小琉球、澎湖、蘭嶼、綠島等砂礫海灘
花期：5～12月

莖與葉片
莖的特徵：細長，匍匐狀，節節生根
毛：全株密生短剛毛
葉的特徵：對生，厚草質，卵狀橢圓形或菱狀橢圓形，兩面有剛毛，粗糙，長15.～2.5㎝，疏鋸齒緣

花朵
著生位置：單生於莖頂，頭狀花序
苞片：5枚，總苞半球形，苞片卵形，有粗剛毛
類型：雌雄同株
大小：徑約1.5～2.3㎝
顏色：黃色
花莖：長6～12㎝
花被：舌狀花一輪；管狀花先端5裂

果實
型態：瘦果倒卵形，具3～4稜，密生剛毛
大小：長約0.5㎝

雙花蟛蜞菊

雙花蟛蜞菊因頭狀花常成對著生而得名，此種名是由著名分類學家林奈氏所定，只要看清楚頭狀花的著生情形，就不難記住雙花蟛蜞菊的特徵了。

雙花蟛蜞菊常成片蔓生在沙灘、石礫地或海岸灌叢邊，有時甚至會覆蓋在常見的海岸灌叢（如黃槿、林投等）身上，以和其他灌木競爭生存空間。只要有任何海岸灌叢遭受破壞，雙花蟛蜞菊一定立刻侵佔，取而代之，如此強旺的侵略性使得雙花蟛蜞菊在世界各地的海邊都能落地生根。

雙花蟛蜞菊

科別：菊科
學名：*Wedelia biflora*
英名：twinflower wedelia
別名：九里明、雙花海砂菊、大蟛蜞菊
類型：多年生蔓性草本
植株大小：莖長可達數公尺以上
生育環境：海邊沙質地或岩隙聚沙處、海岸灌叢或近海的平野開闊地
花期：全年

莖與葉片
莖的特徵：莖有凹溝，柔軟，常攀附他物而上
毛：全株光滑無毛
葉的特徵：對生，卵形，鋸齒緣，具長柄，紙質，同一株上葉形變化極大，長5～12㎝

花朵
著生位置：頂生，3～6個頭狀花序，常兩兩成對著生
苞片：總苞片為長橢圓形或卵狀披針形
類型：雌雄同株
大小：徑約3㎝
顏色：黃色
花被：外圍一輪舌狀花；管狀花緊密排列於中央部位

果實
型態：瘦果，3稜，外佈剛毛
大小：長約3㎝

紅果野牡丹

紅果野牡丹的葉片肉質多汁，三條縱向的葉脈非常清楚，一看就知道是屬於野牡丹科的植物。

紅果野牡丹的花朵柔美，是中低海拔山區闊葉林內極富觀賞價值的野花之一。其淡粉紅色花瓣4枚，花瓣邊緣的顏色較深，形成一種特殊的色暈效果，再搭配上中央8枚雄蕊的黃色線形花藥，十分好看，不過其雄蕊的花絲很短，花藥也不像其他野牡丹科植物般的誇張，是比較含蓄而耐看的野花。

紅果野牡丹

科別：野牡丹科
學名：*Pachycentria formosana*
別名：台灣厚距花
類型：附生性灌木
生育環境：海拔700～1750m山區的闊葉林內
花期：夏末～初冬

莖與葉片
莖的特徵：圓柱形的莖，具攀緣性，可附生於其他喬木上
葉的特徵：肉質多汁，3出脈，對生，闊橢圓形，先端尖，柄上有溝

花朵
著生位置：1～3朵頂生或腋生，聚繖花序
苞片：2～3個小苞片在節上
類型：雌雄同株
大小：2～3㎝長
顏色：淡粉紅色
花莖：2～3㎝長
花被：花萼筒球狀鐘形，邊緣有細睫毛；花瓣4枚，卵圓形
雄蕊：8枚
柱頭：隱藏在花萼筒內

果實
型態：漿果，紅色
大小：徑約0.7㎝
種子：光滑，圓筒狀

阿里山根節蘭

阿里山根節蘭是台灣特有的地生蘭種類之一，主要生長在海拔八百至二千公尺的山區森林下，全省皆有分佈，是相當常見的野生蘭花。

阿里山根節蘭的葉片只有二至五片，長30至45公分，寬5公分左右，革質，有清楚葉脈5至7條，十分容易辨別。而根節蘭的花朵以唇瓣最顯著，3裂，側裂片耳狀，中裂片圓形，先端有一短尖突，內面有3條黃色隆起線條，非常清晰可辨。

阿里山根節蘭

科別：蘭科
學名：*Calanthe arisanensis*
類型：多年生草本（地生蘭）
植株大小：約60cm高
生育環境：中低海拔800～2000m山區闊葉林下，十分常見
花期：12月～翌年3月

根、莖與葉片
莖的特徵：假球莖厚，約2.5～3cm長，卵形；無莖
根的特徵：根莖短，根很長
葉的特徵：根生葉2～5片，披針形，30～45cm長，葉柄5～10cm長，先端漸尖呈短尾狀

花朵
著生位置：總狀花序，由5～10朵花組成
苞片：披針形，1cm長，基部抱莖
類型：雌雄同株
大小：5～10cm（花序），徑2～3cm（單朵）
顏色：白色，有粉紅色暈
花莖：45～60cm長，光滑
花被：萼片整齊，卵狀披針形；花瓣線形，唇瓣有爪、有距，波狀緣
雄蕊：花粉塊8，黃白色
柱頭：蕊柱短而直立，內面有毛茸

藤胡頹子

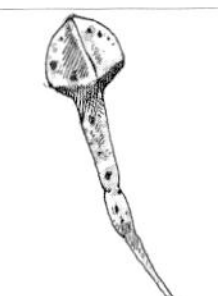

藤胡頹子的花朵沒有花瓣，花萼鐘形，4裂，裂片呈三角形，先端銳尖；有4枚短短的雄蕊，著生在花萼筒上。

藤胡頹子最明顯的特徵在於葉片背面的淡褐色或銀白色鱗屑，由於鱗屑非常多，將葉背覆蓋得密密麻麻，而呈現出銀白色，讓人一眼就能認出是藤胡頹子。

藤胡頹子的分佈極廣，從低至高海拔（約二千八百公尺）都找得到它，特別喜歡長在裸露向陽地或崩壞地，森林邊緣也常看到。它的果實外覆宿存的肉質花萼，看似漿果，成熟時呈紅色帶褐色斑點，可以食用，甜中帶點澀味又汁液豐富，是很好的野外求生植物，此外也可用來治療腳氣病。

藤胡頹子

科別：胡頹子科
學名：*Elaeagnus glabra*
英名：smooth elaeagnus
別名：羊奶子、三目黃子、雞卵果
類型：蔓性灌木
植株大小：長可達6m
生育環境：低至高海拔山區的向陽地、林緣
花期：10～12月

莖與葉片
莖的特徵：小枝密佈鏽色鱗片，莖可蔓生很長
葉的特徵：互生，革質，卵形或橢圓狀卵形，長4～7㎝，全緣，葉表光滑，葉背密披褐色鱗屑

花朵
著生位置：3～5朵叢生，腋出
類型：雌雄同株
大小：7㎜長
顏色：黃白色
花莖：長5㎜
花被：花萼鐘形，4裂；花萼筒裂片呈三角形，先端銳尖；無花瓣
雄蕊：4枚，花絲很短，著生於花萼筒上
子房：橢圓形

果實
型態：核果狀小堅果，長橢圓形，外有肉質的宿存萼片，看似漿果
大小：長1.2～2㎝
種子：1粒

細莖鶴頂蘭

細莖鶴頂蘭的分佈極廣，在台灣主要生長在中低海拔八百至一千六百公尺的山區闊葉林下，是相當常見的地生蘭種類，也有人稱之為「綠花肖頭蕊蘭」，主要因其蕊柱明顯、有淡黃色毛茸。

細莖鶴頂蘭並不是台灣的特有植物，它的分佈遍及亞洲地區，包括日本、琉球、馬來西亞、印尼、菲律賓、泰國和台灣。

細莖鶴頂蘭

科別：蘭科
學名：*Phaius gracilis*
別名：綠花肖頭蕊蘭
類型：多年生草本（地生蘭）
植株大小：70～90㎝高
生育環境：海拔500～1500m之中低海拔山區闊葉林下
花期：秋～冬季

根、莖與葉片
莖的特徵：莖細長，直立，多葉，光滑，綠色，節明顯，無假球莖
根的特徵：根莖很短，根很長
葉的特徵：互生，長橢圓形或披針形，10～30㎝長，尖端銳，葉脈5～7條於葉背隆起，莖基部葉片較小，呈鞘狀

花朵
著生位置：總狀花序，花莖從莖下方部位伸出，半直立或水平，花朵20朵左右
苞片：膜質，早落
類型：雌雄同株
大小：徑1～1.5㎝（單朵）
顏色：黃綠色或淡黃色
花莖：25～40㎝長，綠色；小花梗1～1.5㎝
花被：萼片長披針形，開展或反捲；花瓣長橢圓狀卵形，其中唇瓣白色，水平，3裂，1㎝長
柱頭：蕊柱長4㎜，有淡黃色毛茸

台灣款冬

台灣款冬的別名叫做山菊，因此常和眞正的山菊（請見59頁）糾纏不清，其實兩者的花朵差異極大，根本不可能分不清楚，完全只是名稱上的混淆而已。

和一般菊科植物不同，台灣款冬屬於陰性植物，特別喜歡長在陰濕的山區或森林裡，水分是影響其落腳處的唯一要素。其分佈以北部、中部的山區較常見，南部則相當稀少。

台灣款冬的嫩葉、葉柄和嫩花莖均可食用，宜用沸水燙過，去其苦味再煮食，同時葉柄最好剝皮後再煮，味道會更可口。此外，花朵亦有藥效，可用於鎮咳。

台灣款冬

科別：菊科
學名：*Petasites formosanus*
英名：mountain petasites
別名：山菊、蝙蝠草
類型：多年生草本
植株大小：高25～50㎝
生育環境：中高海拔1200～2700m之山區路旁、陰濕地或林內
花期：1～5月盛花期，全年皆可見其開花

莖與葉片
莖的特徵：匍匐性地下根莖，很長，地上部成簇生長
毛：全株密佈褐色短毛
葉的特徵：根生葉有長葉柄，心形或腎形，表面綠色，有毛茸，背面有蜘蛛絲狀細毛，葉柄長20～30㎝，略帶紫紅；莖生葉生長在花莖上，呈苞片狀。

花朵
著生位置：圓錐花序，多朵頭狀花，排列於莖頂
苞片：線形，4～5㎝長
類型：雌雄異株，單性頭狀花
大小：8～10㎝寬（雄花序）；7～8㎝寬（雌花序）
顏色：白～粉紅色
花莖：花莖由地下根莖伸出，長30～50㎝
花被：雄花序，花冠管狀，5裂；雌花序，花冠線形，不規則4裂
柱頭：2枚
子房：長卵圓形

果實
型態：瘦果，光滑，先端冠毛排列成球形，成熟呈黑褐色
大小：徑1～1.5㎝

大武蜘蛛抱蛋

大武蜘蛛抱蛋是十分特別的百合科植物，只分佈在海拔七百至二千公尺的原始闊葉林內，並不多見，也是稀有的野花之一。

大武蜘蛛抱蛋的花朵非常特殊，由地表的葉腋處直接伸出，花莖短小，頂著紫磚紅色的壺狀花，十分小巧可愛。壺狀花的先端8裂，黃色，盛開時向外翻捲，神似打開的小水壺，又有缺刻狀的花邊，叫人不愛也難。可惜的是，其開花時間不定，因此在野外碰到的機會並不大，尤其它對環境的要求也很高，一定要在中低海拔的原始闊葉林中才能生存，而這種原始林在台灣已日益稀少，大武蜘蛛抱蛋的命運也就可想而知了。

大武蜘蛛抱蛋

科別：百合科
學名：*Aspidistra daibuensis*
類型：多年生草本
植株大小：高50～80㎝
生育環境：海拔700～2000m的原始闊葉林下
花期：不定

莖與葉片
莖的特徵：地下鱗莖，無地上莖
葉的特徵：於地下莖上長葉伸出地表，橢圓披針形

花朵
著生位置：貼地，單生或多朵並生
類型：雌雄同株
顏色：紫磚紅色，花冠尖端黃色
花被：壺狀花型，萼片淺色，花冠壺形，先端8裂，向外反捲

果實
型態：漿果，黃色
大小：徑1～1.5㎝

蛇莓

與草地上的蛇莓不期而遇，是一種特殊的經驗，也是莫大的驚喜，但首先，要認識它，一定要俯下身來，最好是趴在草地上，才能仔細端詳這個草地上的小不點。

在純然綠色的草地上，蛇莓的點點黃花和紅果堪稱絕佳的搭配，個頭雖小，卻也不容忽視。蛇莓的花朵構造特別，除了一般的花瓣和花萼之外，它還多了一層苞片狀的副萼片，比花萼大，先端三裂，包覆在花萼的外圍。

蛇莓的果實雖然很小，但和草莓、懸鉤子一樣，都是可以生吃的，味道酸甜而柔脆。它的每一粒果實都是所謂的聚合果，即果實上面的小紅粒才是一個個瘦果，而整個聚合果則著生於膨大的花托上，生吃之前可別忘了先仔細觀察一下。

蛇莓

科別：薔薇科
學名：*Duchesnea indica*
英名：snake mockstrawberry
別名：龍吐珠、地莓、雞冠果
類型：多年生草本
生育環境：低至高海拔地區的草生地，到處可見
花期：全年

莖與葉片
莖的特徵：匍匐性走莖，節節生根，多分枝
毛：全株披軟毛
托葉：卵狀被針形，全緣
葉的特徵：互生，葉有長柄，三出複葉，葉緣粗鋸齒，小葉長2.5㎝，兩面被毛

花朵
著生位置：腋生，單朵
類型：雌雄同株
顏色：黃色
花被：萼片5枚，外有苞片狀副萼片5枚，尖端3～5裂；花瓣5枚，倒卵形
雄蕊：多數（20～30枚）
柱頭：多數
子房：圓球狀

果實
型態：聚合果，每一瘦果光滑，紅色，著生於紫白色（或粉紅色）的花托上
大小：徑1.2～1.8㎝

台北水苦藚

雖然名爲台北水苦藚，但並非台北或台灣的特有植物，事實上它原產於南歐至喜馬拉雅山西麓一帶，是分佈廣泛的常見野花。台北水苦藚比較偏愛冷涼的氣候，在北海岸的淡水和石門附近，冬天是其盛花期，而中海拔山區的梨山、清境農場和北橫思源埡口一帶，花期則會持續到6月底左右。

台北水苦藚的花朵不算大，但亮麗的青藍色和鮮明的深藍色條紋，卻讓人一眼就瞧見它，特別是在陽光下，更是閃閃動人，爲寒冬捎來幾分春天的暖意。水苦藚的花朵相當典型，基部癒合的4枚花瓣，上方呈廣圓形，加上深色的條紋，十分容易辨識，不妨和玉山水苦藚（請見35頁）的花朵作一比較。

台北水苦藚

科別：玄參科
學名：*Veronica persica*
英名：common field speedwell
別名：大婆婆納、瓢簞草
類型：一年生或二年生草本
植株大小：10～30㎝長
生育環境：北部海岸和中海拔山區的路旁和田野
花期：11月～翌年6月

莖與葉片
莖的特徵：莖纖細，斜上或匍匐地面
毛：全株有軟毛
葉的特徵：基部葉對生，三角形或闊卵狀三角形，有短柄；上方葉則互生，闊卵圓形，無柄

花朵
著生位置：腋生，單朵
苞片：單一，外覆刺毛
類型：雌雄同株
大小：徑0.7～1㎝
顏色：青藍色
花莖：1.5～4㎝長
花被：萼片4深裂，外覆刺毛；花瓣4枚，基部癒合成4裂狀，上裂片廣圓形，下裂片較小，有深色條紋
雄蕊：2枚
柱頭：頭狀
子房：卵形

果實
型態：蒴果，扁心形，有宿存花柱和花萼
大小：5㎜長
種子：船形，呈深皺狀

小葉灰藋

聰明的小葉灰藋懂得搭配農人的作息，不僅不會被視爲討人厭的雜草，甚至還成爲農家的好朋友，因爲它的幼苗、嫩莖葉和花穗均是可口的野菜，休耕期間的稻田或菜圃，一定找得到成群繁生的小葉灰藋。

小葉灰藋的生活史十分有趣，應該是與人類農作共同演化之後的結果。它的種子在春末至秋末的農耕期間休眠，然後在短暫的休耕期間迅速完成萌芽、成長、開花和結果的生命週期。一旦農人開始下田復耕時，小葉灰藋早已完成自己的使命，它們的下一代——種子已順利入土準備休眠了。

小葉灰藋

科別：藜科
學名：*Chenopodium serotinum*
英名：small goosefoot
別名：小藜、灰藋
類型：一年生草本
植株大小：高30～60㎝
生育環境：休耕的稻田和菜圃最常見，荒廢的向陽地、路旁亦有
花期：冬～春（1～5月）

莖與葉片

莖的特徵：多分枝，呈淡綠色，全株有特異之氣味，嫩枝及葉背均有綠白色粉霜
葉的特徵：互生，葉有長柄，上方葉片長披針形或線形，下方三角狀卵形或長橢圓形，葉緣不整齊鋸齒，2～5㎝長

花朵

著生位置：腋生及頂生，穗狀圓錐花序
類型：雌雄同株
大小：1㎜長
顏色：淡綠色或灰綠色
花莖：無花莖
花被：花被5裂，裂片倒卵形
雄蕊：5枚
柱頭：2裂

果實

型態：胞果，果皮內即為種子
大小：徑1㎜
種子：黑色，盤狀

綬草

綬草的花朵很小，要用放大鏡才能觀察，上萼片與花瓣基部癒合，唇瓣囊狀，內有腺毛。

綬草是少數生長在平地的野生蘭花種類之一，而且花朵是超級袖珍，要欣賞它的美姿，得和觀察蛇莓或台北水苦蕒一樣，趴在草地上是最標準的姿勢。

綬草的名稱由來是因其花序有綬帶般的花紋，在不開花的季節裡，由於它的葉片很像一般的禾本科草類，藏身其間，根本不可能找得到它。但每年的一月一到，一根根小而巧的花莖紛紛由草叢中伸出來，讓人恍然大悟，原來綬草在這裡。

要欣賞綬草的花朵，最好有輕巧的放大鏡，首先觀察花朵的排列方式，小花的螺旋狀排列是綬草容易辨識的特徵，而細看每一朵花，都是具體而微的蘭花構造，不過含蕾的綬草似乎更耐看些！

綬草

科別：蘭科
學名：*Spiranthes sinensis*
英名：southern ladiesstresses
別名：金龍盤樹、盤龍參、南國綬草
類型：多年生草本
植株大小：30～45㎝高
生育環境：平地至低海拔地區的陰涼草地上
花期：1～4月

莖與葉片
莖的特徵：根莖粗大，肉質多汁
葉的特徵：葉4～5片，線狀倒披針形，長4～12㎝

花朵
著生位置：總狀花序，多數小花呈螺旋狀排列
苞片：有鞘狀苞片2～4枚，苞片1～4㎝
類型：雌雄同株
大小：長5～18㎝（花序）
顏色：粉紅色
花莖：幾乎沒有小花梗，花莖直立
花被：上萼片與花瓣基部癒合，唇瓣囊狀，內有腺毛
雄蕊：1，花藥棍棒狀
柱頭：2，突出
子房：長橢圓柱形，無毛

果實
型態：蒴果，長橢圓形

鵝兒腸

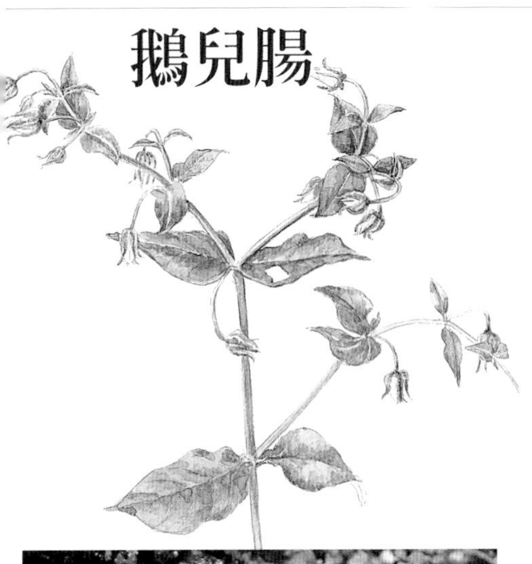

和小葉灰藋一樣，鵝兒腸也是休耕農田、菜圃的主角之一，而有趣的是，它同樣是美味的野菜和民間常用的藥草，或許和人住得近，就得多方面提供，以滿足人們的需要，才能讓這些野花在農田裡安心地繁衍下一代。

鵝兒腸是石竹科繁縷屬的一員，可別將它誤認為菊科的植物。它的花朵只有一公分大小，所以最好用放大鏡觀察，5片白色的花瓣，數數看，怎麼會變成10片？再仔細看看，原來是每一花瓣的先端有二深裂，難怪看起來是10片。

鵝兒腸是養鵝人家最喜歡的植物，摘鵝兒腸來餵那些食量大如牛的鵝，可以省下不少飼料錢。

鵝兒腸
科別：石竹科
學名：*Stellaria aquatica*
英名：goose starwort
別名：雞腸草、牛繁縷
類型：一年生或二年生草本
植株大小：長30cm以上
生育環境：平地至低海拔地區的菜園、路旁和休耕稻田
花期：1～4月
莖與葉片
莖的特徵：莖匍匐性，有腺毛，全株柔嫩多汁，莖圓柱形
毛：莖葉、葉柄、萼片、花梗有腺毛
葉的特徵：對生，卵狀心形，無毛，莖上方之葉片無柄，下方葉片有長柄，1.5～2cm長，有毛，葉緣波浪狀
花朵
著生位置：頂生或腋生
類型：雌雄同株
大小：徑約1.2cm
顏色：白色
花莖：1.5～2cm，有密腺毛
花被：萼片5枚，有毛；花瓣5枚，先端2深裂
雄蕊：10枚，花藥橘紅色
柱頭：5裂
果實
型態：蒴果，卵圓形
種子：球形，鏽褐色

睫穗蓼

睫穗蓼的托葉鞘圓柱形，邊緣有睫毛狀的纖毛。

這個季節裡陸續上場的野花，似乎都與休耕農田有著密切的關係，畢竟台灣的稻田密度很高，選擇這種環境來繁衍下一代，是再高明也不過的。

睫穗蓼的生活史也是完全依附休耕的農田，它們抓住短暫的契機，飛快地成長，而且更以最密集的方式長滿整個田園。當睫穗蓼成熟開花時，無數花穗一起抽出，在陽光下或白或紅或紫地閃爍著，眞是美得無以復加。

睫穗蓼最特別的特徵是睫毛狀的纖毛，用放大鏡仔細觀察，托葉鞘和葉片的邊緣都有，而花朵苞片的纖毛要比花朵本身還長，所以才會被稱爲「睫穗」蓼。

睫穗蓼

科別：蓼科
學名：*Polygonum longisetum*
英名：posumbu knotweed
別名：牛耳朵菜、大蓼、馬蓼
類型：一年生草本
植株大小：20～50㎝高
生育環境：向陽荒廢地、路旁、休耕農田，到處可見
花期：1～5月

莖與葉片
莖的特徵：多分枝，光滑，直立或斜上生長，節間可生根
毛：睫毛狀的纖毛分佈在托葉、葉片、苞片
托葉：托葉鞘圓柱形，邊緣有纖毛
葉的特徵：闊披針形或長披針形，葉背的葉脈上有毛，葉緣有纖毛

花朵
著生位置：總狀花序呈穗狀，花多數，頂生或腋生
苞片：苞片的纖毛遠比花朵還大
類型：雌雄同株
大小：2～5㎝長（花序），2～3㎜長（單朵）
顏色：粉紅或紫紅色
花莖：與托葉鞘幾乎等長
花被：花被5裂，裂片倒卵狀橢圓形，基部有腺點
雄蕊：5枚
柱頭：頭狀，3裂
子房：1室

果實
型態：堅果，黑色，三稜形，包在宿存的花被內
大小：2～3㎜長

冬葵子

冬葵子的特徵明確，學習容易，相信只要看過一遍它的多瓣狀果實，一定很少人會忘記的。冬葵子雖是錦葵科的成員，花朵的構造也相去不遠，但果實的外形卻是出類拔萃，讓人印象深刻。這種狀如磨盤的蒴果，從外形來看，有15至20枚果瓣，每一果瓣的頂端還有短芒，非常可愛。

冬葵子

科別：錦葵科
學名：*Aubtilon indicum*
英名：India abutilon, country mallow
別名：磨盤草、四米草
類型：一年生或多年生草本
植株大小：高可達2m
生育環境：平地、低海拔至沿海地區的荒野、路邊，到處可見
花期：夏～冬季

莖與葉片

莖的特徵：莖直立，長滿細毛
毛：全株有短細毛和星狀毛
托葉：線形
葉的特徵：互生，有長柄，卵圓形至闊卵形，兩面密佈星狀絨毛，葉緣為不規則波狀

花朵

著生位置：花單生於葉腋
類型：雌雄同株
大小：徑2～2.5cm
顏色：黃色
花莖：花梗長4～7cm
花被：花萼5裂；花瓣5枚
雄蕊：多數，集合成短柱狀的雄蕊筒，筒上有星狀粗毛
柱頭：1，柱頭多裂
子房：1

果實

型態：蒴果，圓形，形狀像磨盤，有瓣15～20枚，頂端有短芒，外有細毛
大小：徑1.5cm
種子：腎形，黑色，細小

紫雲英

紫雲英是著名的綠肥和飼料作物，台灣中北部的部分農田會於冬季休耕時栽培紫雲英，不僅它的花朵美觀漂亮，更重要的是其根部有根瘤菌共生，可以固定土壤中的氮，增加土壤肥力，而一旦春季復耕時，紫雲英的植株犁入土中，更成為早期稻作的天然綠肥。

除此之外，紫雲英也是很好的野菜，其嫩莖葉和花序的滋味皆十分鮮美，由於營養豐富而且生長迅速，也有專門栽培紫雲英來作為牧草之用。

紫雲英

科別：豆科
學名：*Astragalus sinicus*
英名：Chinese milk vetch
別名：翹搖、野蠶豆、元修菜
類型：二年生草本
植株大小：高10～25㎝
生育環境：平地、濕地、農地及中低海拔山區的路旁、荒地
花期：冬～春季

莖與葉片
莖的特徵：斜上生長，具微毛
毛：莖、葉、花萼有細毛
托葉：卵形
葉的特徵：互生，奇數羽狀複葉，小葉9～11片，葉片膜質，倒卵形或長橢圓形，有疏毛

花朵
著生位置：腋生，由7～10朵蝶形花排列成頭狀花序
類型：雌雄同株
顏色：紫紅色或粉紅色
花莖：長10～20㎝（花序之花莖）
花被：花冠蝶形；花萼筒狀，尖端銳，5裂，具白色細毛
雄蕊：9＋1枚的二體雄蕊
子房：2室，光滑

果實
型態：莢果長橢圓形，有3稜，黑色、光滑
大小：2～2.5㎝

馬纓丹

原產南美洲的馬纓丹，三百多年前由荷蘭人引入台灣，目前除了栽培種之外，從低海拔山野到海邊，野生族群無處不生，終年開花不斷。它的花冠會因陽光直射及時間長短的影響而有多變的花色，所以又稱為五色梅或七變花。

馬纓丹的結果量極大，加上鳥類及小型囓齒動物都很喜歡吃，所以得以四處傳播。一旦馬纓丹找到適當的落腳處，沒多久便枝條橫生，呈塊狀聚生狀態，它的下方往往寸草不生，排他性極強。加上其莖密生鉤刺、縱橫盤結，動物難以穿越踐踏，於是年年擴張族群的地盤，是非常強勢作風的植物。不過，它雖然枝葉、未熟果有毒，還有特殊的怪味道，但卻是重要的蜜源植物，鳳蝶和小紋斑蝶等皆會採食其花蜜。

馬纓丹

科別：馬鞭草科
學名：*Lantana camara* var. *aculeata*
英名：common lantana
別名：五色梅、七變花、臭金鳳
類型：常綠半蔓性灌木
植株大小：高1～2m
生育環境：平地、海邊、山野，到處可見
花期：全年

莖與葉片

莖的特徵：小枝具有逆向銳刺，四稜形，全株有刺激性異味
毛：全株被有粗毛
葉的特徵：對生，卵形至卵狀長橢圓形，長3～8㎝，鋸齒緣，兩面有短硬毛

花朵

著生位置：腋生，花排列作頭狀繖房花序
苞片：線狀披針形圍生在花托下
類型：雌雄同株
顏色：橙紅、粉紅或紫紅色
花被：花冠高腳盆形，先端作不整齊的4～5裂
雄蕊：4枚，2長2短的2強雄蕊

果實

型態：核果球形，成熟時紫黑色，肉質光滑
大小：徑5㎜

野桐蒿

無孔不入的野桐蒿憑藉著高超的適應能力和繁衍本領，在全世界的溫暖地區都佔有一席之地，其驚人的擴張力令人刮目相看。

坦白說，野桐蒿在菊科植物當中算是非常其貌不揚的，大概只有加拿大蓬（請見71頁）差可比擬。此兩者非常相似，又常長在一塊，所以可以一起加以辨認。野桐蒿的花序邊緣的花呈絲狀，直徑比較大（約8至12公釐），葉片也比較寬（2至4公分）；而加拿大蓬的花序邊緣則呈舌狀，直徑較小（只有2至4公釐），葉片也狹小（1至1公分半）。

每當有塊新地空出來時（如火燒地、新耕地等），野桐蒿總是第一個到達，它那冠毛發達又特別會飛的瘦果很快就會將荒蕪的地表點綴成一片綠意盎然。

野桐蒿

科別：菊科
學名：*Erigeron bonariensis*
別名：野茼蒿、野塘蒿、野地黃菊
類型：一年生草本
植株大小：30～50㎝高
生育環境：低海拔～1500m以下的荒廢地、路旁、乾河床
花期：全年

莖與葉片
莖的特徵：主莖一，直立，側生花序多
毛：莖葉有毛茸
葉的特徵：狹倒披針形，紙質，灰綠色

花朵
著生位置：多數頭狀花排列成圓錐花序
苞片：狹線形
類型：雌雄同株
大小：徑8～12㎜（單朵）
顏色：黃白色
花被：舌狀花多數，管狀花很小，不明顯
柱頭：披針狀

果實
型態：瘦果，黑褐色，倒卵形，扁平，有稻草色的冠毛
大小：0.15㎝長

紅毛草

紅毛草原產於熱帶南非，由於頗富觀察價值，因此廣泛分佈於全世界的熱帶地區。當初引入台灣是作爲庭園植物或牧草之用，結果也自行逸出而成爲歸化植物。

以前最早只能在高屏地區的郊野、道路或鐵道兩旁看到零零星星的紅毛草，沒想到這些探路先鋒非常強悍，一路由高屏地區向上擴散，台南、嘉義、雲林和台中縣都看得到它們的蹤跡，如今連苗栗和新竹縣也有，不得不佩服紅毛草族群的擴張力。現在最漂亮的紅毛草景觀是在高速公路兩邊的護坡上，一到花期，粉紅色花穗迎風搖曳，呈現出截然不同的禾本科植物風情。

紅毛草
科別：禾本科
學名：*Rhynchelytrum repens*
英名：natal grass
別名：多年生草本
植株大小：1m高
生育環境：低海拔草生地、路旁、郊野及高速公路兩側護坡上
花期：秋～初春

莖與葉片
莖的特徵：稈直立，地下根莖粗短，節間有瘤毛，節上有柔毛
毛：全株有毛
葉的特徵：葉片20㎝長，葉鞘鬆散，有毛，葉舌有一圈長柔毛

花朵
著生位置：開展型圓錐花序
類型：雌雄同株
大小：15㎝長（花序）
顏色：粉紅色
花莖：有長毛
花被：小穗卵形，外覆粉紅色絲狀毛
雄蕊：3枚
柱頭：2，呈羽毛狀，外露
子房：光滑

果實
型態：穎果，長橢圓形

大馬蹄草

大馬蹄草的葉片形狀非常可愛，呈圓腎形或心形，加上網狀的葉脈以及粗鋸齒的葉緣，即使沒有開花也非常容易認得，而這也正是其別名「金錢薄荷」或「地錢草」的由來。

大馬蹄草的分佈很廣，主要得力於莖枝的強大伸展力。其紅色的蔓莖看似纖細，但拓展力極強，單株很快就會覆滿直徑達三、四公尺的地面，這樣的蔓延速度是相當驚人的。

大馬蹄草全株有香氣，是著名的藥草，主要有利尿化石、活血散瘀、清熱解毒和降壓止痛的功效。

大馬蹄草

科別：唇形科
學名：*Glechoma hederacea* var. *grandis*
英名：common glechoma
別名：金錢薄荷、地錢草
類型：多年生草本
生育環境：海濱至海拔2600m以下的山區
花期：全年

莖與葉片
莖的特徵：兩種型態，直立型和蔓生型，全株有香氣，由節生根，莖呈紅褐色
毛：全株有細毛
葉的特徵：對生，圓腎形到心形，1.5㎝長，兩面披毛，表面有刺毛座突，葉緣淺裂或鈍鋸齒

花朵
著生位置：腋生，1～3朵花
類型：雌雄同株
大小：11～12㎜長
顏色：淡紅紫色或粉紅色
花莖：4～5㎜，有毛
花被：萼片有毛，尖端鋸齒，齒尖呈刺狀；花冠唇形，內側有深紫色斑點，上唇瓣微凹，下唇瓣是上唇瓣的2倍大
雄蕊：4枚
柱頭：2裂

果實
型態：小堅果，橢圓形
大小：1.8㎜長

蔊菜

蔊菜的長角果下方有果柄，當果實成熟時，果皮會扭轉裂開而將種子彈開，非常利於種子的傳播。

和這個月初的前面幾種野花一樣，蔊菜也是休耕農田裡常見的野花。台灣的農作高度密集，幾乎終年無休，導致許多野生植物的生活週期都必須集中在這短短的兩、三個月間，速戰速決，因爲一旦復耕，它們都將成爲田裡的天然綠肥。

蔊菜最有趣的特徵是長長的角果，開花過後只見一根根瘦長的果實還留在花莖上，仔細觀察一下，它的下方有長約5公釐的果柄，而當果實成熟時，果皮便會扭轉裂開而彈出種子。這種特殊的種子傳播方式是蔊菜生存的利器，不由得讓人對它又愛又敬。

蔊菜

科別：十字花科
學名：*Cardamine flexuosa*
英名：small-leaved bittercress
別名：細葉碎米薺、田芥、碎米菜
類型：一年生或二年生草本
植株大小：10～30cm高
生育環境：平地至低海拔向陽荒廢地、休耕農田、路旁
花期：1～3月

莖與葉片

莖的特徵：莖分枝多，下端披毛，直立而纖細
毛：莖下方有柔毛
葉的特徵：互生，羽狀複葉，小葉7～10，呈提琴狀，小葉卵形至闊卵形，有柄

花朵

著生位置：總狀花序，10～20朵花組成，腋生或頂生
類型：雌雄同株
大小：徑2～4mm（單朵）
顏色：白色
花被：花瓣4枚，楔狀倒卵形，呈十字形排列，長度是萼片的兩倍
雄蕊：6枚，4長2短
柱頭：膨大、頭狀
子房：長形

果實

型態：長角果，線形，光滑，有長約5mm的果柄
大小：1～2cm長
種子：10～18粒

漆姑草

石竹科的漆姑草有著典型的石竹科狹長線形葉片，不過漆姑草的頂端葉片長得很像雞爪或鳥爪的形狀，因此成爲它最容易辨識的特徵。

漆姑草的花朵雖小，但也容易辨認，5枚具腺毛的綠色萼片比白色花瓣稍長些，而且與花瓣呈互生狀。此外，圓球形的果實有5裂柱頭宿存，也是漆姑草的重要識別特徵。

漆姑草

科別：石竹科
學名：*Sagina japonica*
英名：Japanese pearlwort
別名：瓜槌草
類型：一年生或二年生草本
植株大小：高2～20㎝
生育環境：平地至中低海拔山區的耕地、牆角、田野等
花期：秋～冬季

莖與葉片
莖的特徵：細長，半直立或蔓性或簇生，基部分枝，上方有腺毛
毛：花莖、萼片、花瓣及莖上方有腺毛
葉的特徵：線形，扁平，0.7～1.8㎝長，光滑，基部呈鞘狀，對生

花朵
著生位置：單生，頂出或腋出
類型：雌雄同株
大小：1～1.5㎜長
顏色：白色
花莖：1～2㎝長，有腺毛
花被：萼片5（很少4或6），闊橢圓形，有腺毛；花瓣5，狹卵形
雄蕊：5枚
柱頭：5裂，幾乎沒有花柱
子房：圓球形，1室

果實
型態：蒴果，圓球形，5裂柱頭宿存
大小：2～3㎜長
種子：闊卵形，黑褐色，有乳頭狀小突起

恆春山藥

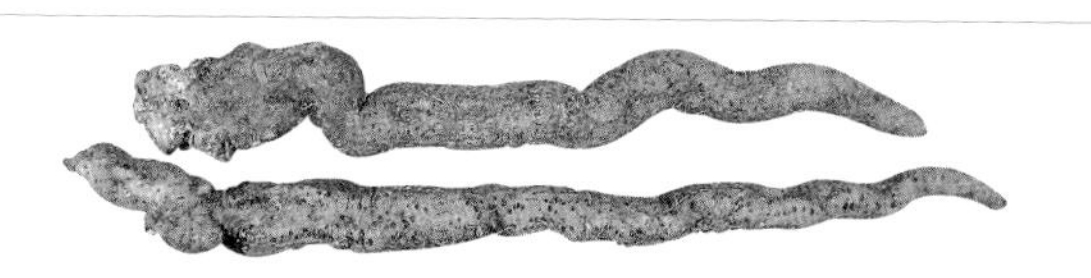

恆春山藥是台灣特有植物，許多山區均有野生的植株，不過只有產於恆春半島的恆春山藥，其地下塊根發育粗大，產量多而且品質好，其他地區多半非常細小，無食用的價值。

過去原住民曾以恆春山藥的地下塊根作爲主食，取其塊根削去外皮後煮食，營養味美，也可加雞蛋、小魚乾、鹽一起磨成山藥糊，是很好的滋養食品。

恆春山藥

科別：薯蕷科
學名：*Dioscorea doryphora*
別名：山藥、淮山藥、山薯、戟葉田薯
類型：多年生藤本
生育環境：恆春半島、屏東及嘉義以北至台北山區
花期：1～4月

根、莖與葉片
莖的特徵：莖細長，有紫色斑點，具攀緣性，莖圓柱形
根的特徵：地下塊根可食
葉的特徵：互生，四稜形，革質，無毛，長2～6.5cm，全緣或波狀緣。葉腋有零餘子著生，白褐色。

花朵
著生位置：穗狀花序，腋生，每穗由10～25朵花組成
類型：雌雄異株
大小：長1.5mm（單朵），2～9cm（花序）
顏色：乳白色
花被：花被6枚，倒披針形

果實
型態：蒴果，三翅

豔紅鹿子百合

豔紅鹿子百合的生態習性非常特別，它只生長在向陽的岩壁上，岩壁上必須長有禾草而且有土壤附著，這樣的環境條件才能讓它的種子萌芽生長。

由於分佈範圍原本就十分狹隘，加上人爲的濫採和搜購，如今大概只有在台北縣石碇和萬里山間的絕壁上，才有少數存活的野生植株，要欣賞它的美姿，也只能透過望遠鏡而已。

豔紅鹿子百合的花形與眾不同，大多數百合花都是直挺挺的喇叭形，而它卻是整個花瓣都會反捲至背後，露出花瓣中央的紅色斑點和乳頭狀突起，加上紅褐色的花藥，往往構成非常強烈的視覺印象。

豔紅鹿子百合

科別：百合科
學名：*Lilium speciosum* var. *gloriosoides*
類型：多年生草本
植株大小：50～70cm高
生育環境：北部海拔150～600m的北勢溪流域，如石碇
花期：春～夏

莖與葉片
莖的特徵：鱗莖徑約5cm，白色，莖強壯，基部呈黑褐色，分枝少
葉的特徵：互生，橢圓狀披針形，10～15cm長，無柄或葉柄很短，革質

花朵
著生位置：頂生，水平生長，單朵
苞片：葉狀
類型：雌雄同株
顏色：豔紅色夾雜紅點，先端白色
花莖：5～7cm長
花被：花被6，輪生，成漏斗狀，盛開時反捲，中央有紅斑及乳頭狀突起
雄蕊：花藥紅色，雄蕊6枚
柱頭：花柱長，柱頭膨大，3裂
子房：3室

果實
型態：蒴果，褐色
大小：5～6cm長
種子：小，0.8～0.9cm長

土丁桂

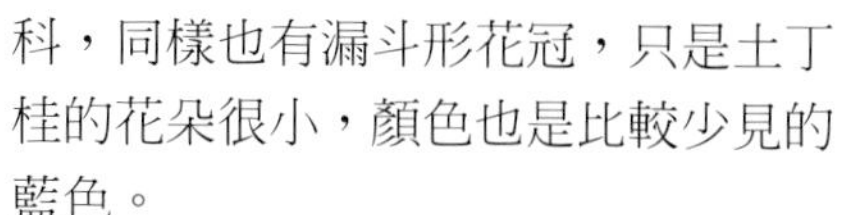

小小的土丁桂是非常常見的海邊植物，它和牽牛花一樣同屬旋花科，同樣也有漏斗形花冠，只是土丁桂的花朵很小，顏色也是比較少見的藍色。

土丁桂植株矮小，莖匍匐地面，全株密生銀白色絹毛，葉片也緊密排列，這些原本都是爲了適應海邊乾旱環境而演化的結果，但它那豔麗無比的藍色小花和特殊的銀白色外形，常常讓人愛不釋手而採集回家。其實土丁桂最適合的家園還是乾燥的海邊沙地，值得學習的是它對適應環境的努力，而不是將它的美麗佔爲己有。

土丁桂

科別：旋花科
學名：*Evolvulus alsinoides*
英名：small evolvulus
別名：人字草、毛辣花、銀絲草、蜈蚣草
類型：多年生草本
植株大小：長20～70㎝
生育環境：近海的沙地、河床地和路旁等，以恆春海岸澎湖、小琉球最多
花期：全年

莖與葉片
莖的特徵：匍匐貼地，分枝多
毛：全株密生銀灰色絹毛
葉的特徵：互生，卵圓形或長橢圓形或匙形，幾乎無柄，全緣

花朵
著生位置：單生或2～3朵花腋出
苞片：線形，有毛
類型：雌雄同株
大小：徑0.8～1.2㎝
顏色：藍色
花莖：花梗長2㎝
花被：花冠淺漏斗型，5淺裂；萼片5枚，披針形，有長毛
雄蕊：5枚
柱頭：花柱2枚，叉狀，每一叉再2裂，柱頭線狀或棒狀
子房：圓形球

果實
型態：蒴果球形，四瓣開裂，具宿存萼片
大小：長0.3～0.4㎝
種子：4個

猩猩草

乍看之下，宛如小型聖誕紅（猩猩木）的猩猩草，讓人很有親切感，而且全年在野外都看得到它，好比時時都有過節的感覺。

其實，猩猩草原產於北美洲，早在1911年就由日本人引入台灣，和其他引入種一樣，原來為了觀賞目的而栽培，一旦找到適合的生長環境，便脫離人類的掌握而自行逸出。

猩猩草的花朵也和聖誕紅一樣，眞正的花是位於中央呈球狀的大戟花序，剝開之後才看得到沒有花被的雄花和雌花，而宛如苞片狀的紅色部分則是猩猩草的葉片，這些枝條頂端的葉片都變小而且基部呈紅色，看起來和花瓣沒兩樣，植物學上稱之為「假花瓣」。

猩猩草

科別：大戟科
學名：*Euphorbia heterophylla*
英名：Mexican fire plant, wild poinsettia
別名：火苞草
類型：一年生草本
植株大小：高50～100㎝
生育環境：路旁、曠野、荒廢地及海濱，到處可見
花期：全年

莖與葉片
莖的特徵：全株含豐沛白色乳汁
葉的特徵：互生，卵狀橢圓形或提琴形，枝頂端的葉片變小成苞片狀，呈紅色

花朵
著生位置：頂生，大戟花序排列成繖房狀
苞片：總苞小
類型：雌雄同株異花
顏色：淡黃綠色
花被：無花被，只有雄蕊（雄花）與雌蕊（雌花）

果實
型態：蒴果，成熟後三瓣裂

蔓荊

蔓荊是海濱的優勢植物之一，不論是沙灘、石礫堆、岩石縫或甚至珊瑚礁岩上，都可以看它成片繁生。蔓荊爲了適應海邊的惡劣環境，已完全演化成抗旱、抗風、耐鹽等特性，如全株木質化、伏地匍匐以及枝葉有密毛等，這種適應能力讓蔓荊可以在海邊來去自如，到處可見。

蔓荊全株枝葉有香氣，摘其葉片揉揉看，一股濃香撲鼻而來。它的果實爲著名的中藥「蔓荊子」，是去風邪、解熱和治感冒的良藥，在夏天更可以煮成茶飲用，清涼之外還有健腦明目的額外效用。

蔓荊

科別：馬鞭草科
學名：*Vitex rotundifolia*
英名：simple-leaf chastetree
別名：海埔姜、白埔姜、山埔姜
類型：小灌木
植株大小：高度在50㎝以內
生育環境：北部至南部的沙岸地帶，十分常見
花期：全年

莖與葉片
莖的特徵：莖匍匐性，小枝方形，節上生根，全株枝葉具芳香
毛：全株密被白色柔毛
葉的特徵：對生，倒卵形，全緣或波狀緣，葉背灰白色

花朵
著生位置：頂生，總狀花序
類型：雌雄同株
顏色：淡紫色或藍紫色、白色
花莖：短
花被：萼片鐘形，深裂鋸齒狀，有毛；花冠唇形，基部合生成冠筒狀，先端5裂
雄蕊：4枚，2長2短的2強雄蕊
柱頭：2裂

果實
型態：球形核果，黑色，外覆宿存萼片
大小：徑0.5㎝
種子：4顆

番杏

滋味鮮美的番杏是野菜中的翹楚，也因此而有「紐西蘭菠菜」的別稱，日本、東印度群島等地區都將它當成蔬菜大量栽培，同時也是最好的養雞飼料。

番杏的花很小，只有花萼而沒有花瓣，並不容易辨認，反而倒圓錐形的果實是最清楚的特徵，尤其側面有4至5個角狀突起，成熟時會變得堅硬，而這也是其屬名(*Tetragonia*)的由來。

番杏以中北部海岸較多，尤其北海岸的石門及新竹至後龍海岸最多，其全株肥嫩多汁，有生津止渴之效，近來又因據說有治療胃癌、食道癌之藥效，而成為聲名大噪的健康野菜。

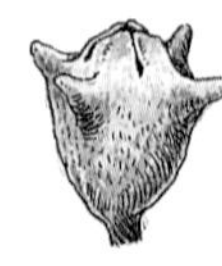

番杏的倒圓錐形核果，有4～5個角狀突起，辨識容易，也是其學名的由來。

番杏

科別：番杏科
學名：*Tetragonia tetragonoides*
英名：New Zealand spinach
別名：蔓菜
類型：多年生草本
植株大小：長40～100㎝
生育環境：沙質海灘，以北中部海岸、恆春半島及花蓮、澎湖、蘭嶼較多
花期：冬～春季

莖與葉片
莖的特徵：幼株直立，枝條肉質、綠色，密生腺點
葉的特徵：互生，肉質，三角狀卵形或菱狀卵形，5～10㎝長

花朵
著生位置：1～2朵由葉腋伸出
類型：雌雄同株
顏色：黃色
花莖：花幾乎無柄
花被：萼片4裂，闊卵形；無花瓣
雄蕊：4～13枚
柱頭：4～6裂

果實
型態：倒圓錐形，具宿存萼片，核果，有4～5個角狀突起
大小：1㎝長
種子：4～10粒

台灣灰毛豆

台灣灰毛豆雖然冠以台灣，但並非台灣的特有植物，菲律賓呂宋島也有這種植物。在分類上屬於豆科灰毛豆屬，其特徵即豆莢上的灰色毛茸，相當容易辨識。

從台灣灰毛豆的植株可分離出「魚毒黃鹼素」等多種植物鹼，而以往各地的原住民亦曾將灰毛豆屬植物的根莖打碎，取其汁液毒魚，目前已成功分離出32種以上的植物化合物，但其結構和作用均待進一步研究。

台灣灰毛豆

科別：豆科
學名：*Tephrosia obovata*
英名：wild indigo, purple wild indigo
別名：假靛青、烏仔草、紫草藤
類型：多年生匍匐性草本
生育環境：南部、恆春半島、花東海濱及澎湖
花期：全年

莖與葉片
莖的特徵：密生毛茸
毛：全株被有毛茸
托葉：三角形
葉的特徵：奇數羽狀複葉，小葉7～13枚，倒卵形，兩面有長絲狀毛

花朵
著生位置：腋生，總狀花序或單出
類型：雌雄同株
大小：長約1㎝
顏色：紅紫色
花被：蝶形花冠
雄蕊：9+1枚的二體雄蕊

果實
型態：莢果線形，外有長狀絲毛
大小：長約2～2.5㎝
種子：5～7粒

華八仙

台灣原產的八仙花種類當中，華八仙是低海拔地區最普遍的一種，自一、二月以後，走在低海拔闊葉林下或走道旁，常常可以看見朵朵白花迎風飛舞，宛若蝴蝶展翅般迷人，而這多半就是小巧可愛的華八仙。它的耐蔭性頗佳，可在有樹冠遮蔽的林下生長，不過在林緣陽光充足的地方往往會生長得更好。

華八仙看似花瓣的白色部分，是由花萼瓣化而成的，目的是要招蜂引蝶，而眞正的有性花則位於花序中央，由許多其貌不揚的黃綠色小花組成。八仙花的花朵都會使用這種誇大的伎倆，以吸引昆蟲前來授粉，它們也才能完成傳宗接代的重大使命。

華八仙

科別：虎耳草科
學名：*Hydrangea chinensis*
英名：Chinese hydrangea
類型：小灌木
植株大小：1～3.5m高
生育環境：低海拔闊葉林下或林緣
花期：1～6月（冬末～春夏之交）

莖與葉片
莖的特徵：小枝無毛，綠色，多分枝
毛：全株光滑無毛
葉的特徵：對生，平滑紙質，長橢圓形，7～12㎝長，兩端尖銳，葉柄長1㎝

花朵
著生位置：頂生，繖房狀繖形花序
類型：雌雄同株
大小：8㎝長（花序），徑1.2㎝（單朵）
顏色：白色，真正的花為黃綠色
花被：不孕花有4枚圓形的花瓣狀萼片；兩性花的萼片5齒裂，花瓣5枚
雄蕊：多數
柱頭：3，膨大，花柱粗短
子房：圓球狀

果實
型態：蒴果，球形，頂端有3個宿存花柱，呈稜角狀
大小：徑0.2㎝

長梗盤花麻

長梗盤花麻是蕁麻科盤花麻屬的植物，雖是蕁麻科，卻沒有像咬人貓（請見15頁）或咬人狗的可怕焮毛，不過其葉片質感粗糙，有清楚的縱向、橫向葉脈，一看就知道是蕁麻科的成員。

蕁麻科當中，沒有焮毛、葉片對生而且柱頭分裂成毛筆狀的僅有盤花麻屬和冷水麻屬(*Pilea*)而已，不過盤花麻屬的花密生在圓盤狀的花托上，而冷水麻屬的花則爲聚繖花序或頭狀花序。除了前述的重點之外，長梗盤花麻最清楚的特徵，應該是雌花序的長花梗，而這也正是其名稱的由來。

長梗盤花麻

科別：蕁麻科
學名：*Lecanthus sasakii*
類型：多年生草本
植株大小：30～40㎝高
生育環境：中低海拔闊葉林潮濕處
花期：全年
莖與葉片
莖的特徵：多分枝，莖上有條紋，匍匐性
毛：全株有毛
托葉：三角卵形
葉的特徵：長倒卵形，葉緣鋸齒狀，對生，葉表有粗毛，葉背光滑
花朵
著生位置：腋生，單出
苞片：闊三角形
類型：雌雄異株
大小：徑1～1.5㎝（雌花）
顏色：紅褐色
花莖：雌花序有長花梗
花被：雌花頭狀，花被3～4枚，線形
雄蕊：無藥雄蕊3（退化）
柱頭：毛筆狀
子房：直立
果實
型態：瘦果，卵形或橢圓形，深灰褐色
大小：1㎜長
種子：多數，有灰褐色、膜質的外種皮

桔梗蘭

桔梗蘭的植株外形酷似報歲蘭，不過卻開紫色花，而且花形和花色都很像桔梗，才被稱爲桔梗蘭，事實上它是百合科的植物。由於桔梗蘭的分佈極廣，像五節芒般到處叢生，所以又稱之爲「山菅蘭」。

桔梗蘭屬於耐乾燥貧瘠的陽性草本植物，大多會出現在乾燥的草叢或灌叢，而成爲草生地演替的前期優勢植物。它的葉片與蘭花極像，但比較寬而柔軟，鄉間孩童最喜歡拿它的葉片或葉鞘作成口笛，以便在遊戲中呼朋引伴。

桔梗蘭

科別：百合科
學名：*Dianella ensifolia*
英名：campanula orchid, swordleaf dianella
別名：山菅蘭、竹葉蘭
類型：多年生草本
植株大小：高60～100㎝
生育環境：中低海拔的山區或近郊，海濱也有分佈
花期：8月～翌年2月

莖與葉片
莖的特徵：地下根莖發達，呈球形，匍匐狀
葉的特徵：互生，披針形或劍形，40～50㎝長，革質光滑，中肋下凹，全緣，略反捲，有長形扁狀的葉鞘

花朵
著生位置：圓錐花序
苞片：葉狀苞片
類型：雌雄同株
大小：20～40㎝（花序）
顏色：藍紫色或白色（很少）
花莖：1～2㎝長（單朵），100㎝長（花序）
花被：6枚，排成2輪
雄蕊：6枚，花藥黃色
柱頭：花柱線形，柱頭針狀
子房：球形

果實
型態：漿果，近球形，成熟呈藍紫色
大小：徑7～9㎜
種子：長圓形，黑色

長花九頭獅子草

張著一張張紫紅色小嘴巴的長花九頭獅子草，彷如嗷嗷待哺的雛鳥般可愛，讓人不由得不停下腳步，仔細欣賞它的奇特花朵。長花九頭獅子草是爵床科九頭獅子草屬的成員，它的花冠呈二唇形，2枚雄蕊外露，長長的花絲上有逆向生長的毛，還有呈戟狀的花藥，造型眞是別緻極了。

長花九頭獅子草以中南部較常見，從海邊一直到海拔一千公尺以下的山區都不難找到它，常成片叢生於闊葉林下，性耐陰，但不喜歡太陰濕的地方，在墾丁一帶的熱帶海岸林下，長花九頭獅子草是林下草本植物的主角，全年開花不斷。

長花九頭獅子草

科別：爵床科
學名：*Peristrophe roxburghiana*
英名：longflower justicia
別名：長花獅子草、長生花
類型：多年生草本
植株大小：50㎝高
生育環境：南部及中部、恆春半島的海邊至海拔1000m以下的山區
花期：全年

莖與葉片
莖的特徵：近四方形，光滑，直立或半伏半立，節處稍膨大
毛：葉背、萼片、花瓣、花絲、果實有毛
葉的特徵：膜質，披針形、長形或長卵形，葉背葉脈邊緣有毛

花朵
著生位置：頂生，聚繖花序，每一花序有花1～4朵
苞片：1～4總苞，苞片大小各不相同，2片葉狀苞片組成一總苞
類型：雌雄同株
大小：5㎝長
顏色：紅紫色
花被：萼片有毛及腺毛，5裂；花冠二唇形，上唇瓣闊倒卵形，下唇瓣長形，3裂
雄蕊：外露在花被之外，花絲有逆毛，花藥呈戟狀，2枚
柱頭：2裂，花柱長
子房：光滑，2室

果實
型態：蒴果，有毛，褐色，棒狀
大小：1.5～2㎝長
種子：圓球形

山粉圓

山粉圓的全株芳香，因此又被稱爲「山香」、「香苦草」，其花朵毛茸茸的，特徵明顯，尤其是花萼深裂爲五齒，而每一齒又呈尖銳的刺狀，十分好認。

山粉圓是著名的民間藥草之一，有散瘀、解毒、祛風和鎮痛之效，新鮮的莖葉搗爛後可敷治刀傷出血、跌打腫痛，取新鮮葉片搗碎亦可敷治蛇蟲咬傷。

山粉圓

科別：唇形科
學名：*Hyptis suaveolens*
別名：香苦草、山香、假走馬風
類型：一年生草本
植株大小：50～160㎝高
生育環境：平野至低海拔山區路旁、荒地
花期：冬～春季
莖與葉片
莖的特徵：粗短、方形，有腺毛，全株芳香
毛：全株披毛
葉的特徵：葉有柄，柄長1～2㎝，有腺毛；葉片卵形到闊卵形，2～8㎝長，兩面有毛及腺點
花朵
著生位置：2～4朵花呈輪生狀的聚繖花序
類型：雌雄同株
大小：5～7㎜長
顏色：藍紫色
花莖：1㎝長，有毛
花被：萼片輪狀，5齒，有腺毛和腺點，齒呈刺狀；花冠筒狀，有毛，邊緣5深裂
雄蕊：4枚，與花冠合生，花絲有毛
柱頭：2裂
果實
型態：堅果扁平，潤倒卵形
大小：3～4㎜長
種子：長扁形，熟時黑色

台灣堇菜

台灣堇菜又名台灣紫菫，只見生長於北部中低海拔山區的闊葉林下。乍看之下，與其他堇菜野花似乎十分類似，不論植株大小、葉形葉色、花形花色等，幾乎沒有太大的差別，但只要細看它的紫色花朵，便能看出一點端倪。

台灣堇菜的上花瓣和側花瓣各2枚，大小幾乎完全一樣，形狀也同爲卵楔形，而下方的有距花瓣則明顯較長。最有趣的是，5枚花瓣的先端都有向內凹的2淺裂，讓整朵花更像蝴蝶結似的，非常可愛，而這也正是和其他堇菜科植物的最大區別。

台灣堇菜

科別：堇菜科
學名：*Viola formosana*
別名：台灣紫菫
類型：一年生草本
植株大小：高5～15㎝
生育環境：北部中低海拔山區的潤葉林下
花期：12月～翌年3月

莖與葉片
莖的特徵：只有走莖，沒有地上莖的部分
毛：葉柄、葉緣、花莖有毛
托葉：線狀披針形
葉的特徵：戟狀心形、三角心形到闊心形，1～4㎝長，葉緣鋸齒，有時有毛，葉背綠紫色，簇生狀

花朵
著生位置：由葉叢中抽出花莖，單出
苞片：線形，對生
類型：雌雄同株
大小：徑15～2.2㎝
顏色：紫色
花莖：15㎝長，光滑或有毛
花被：萼片光滑；上花瓣和側花瓣同大，卵楔形，有距花瓣較大，花瓣先端有向內凹的2淺裂
雄蕊：2枚

果實
型態：蒴果

菱形奴草

稀少罕見的菱形奴草是大名鼎鼎的奴草之兄弟，其分佈地點非常狹隘，根據記載，只在南投縣魚池鄉蓮華池地區發現30個小族群，都寄生在殼斗科植物單刺櫧的根部，由於數量非常稀少，恐怕有絕種的危機。

菱形奴草的外形矮小，最明顯的特徵是肉質鱗片狀的葉片，排列成菱形柱狀體，此即其名稱的由來。花朵位於柱狀體的中央，十分不明顯，花被癒合成環，雄蕊著生於花蓋上，花粉散播之後，花蓋會脫落，以便裡面的柱頭可以露出而接受別株的花粉，以防止自花授粉。

菱形奴草

科別：大花草科
學名：*Mitrastemon yamamotoi var. kanehirai*
類型：一年生寄生性草本
植株大小：6～7cm高
生育環境：中部山區闊葉林下，寄生於殼斗科植物的根上
花期：10月～翌年3月

莖與葉片
莖的特徵：直立、短、肉質，有鱗片，呈菱形，具地下莖，寄生在其他植物的根部
葉的特徵：肉質鱗片狀葉片8～12對，1～1.5cm長，組成矮小的菱形柱狀體

花朵
著生位置：單生，頂出
類型：雌雄同株
顏色：白色帶點粉紅
花被：花被癒合成環
雄蕊：雄蕊著生於花蓋上
柱頭：花蓋脫落才會露出雌蕊

小白頭翁

小白頭翁的名稱由來與其果實形態有關，而這也正是最容易認識它的特徵。小白頭翁的花朵有5片白色瓣化萼片以及多數的黃色雄蕊，中央膨大的部位則是多數心皮著生於單一球形花托上，白色萼片相當早落，多數的瘦果便集生在球狀體上，待果實成熟迸開時，只見白絲一團，宛如滿頭白髮的老翁。帶著白色綿毛的小瘦果隨風飛散，由於數量龐大驚人，對小白頭翁的傳播散佈非常有利，而白色綿絮飛揚也蔚爲台灣山野的早春盛景之一。

小白頭翁

科別：毛茛科
學名：*Eriocapitella vitifolia*
英名：wild windflower
別名：台灣秋牡丹、三輪草、葡萄葉銀蓮花、三花雙瓶梅
類型：多年生草本
植株大小：高25～50㎝
生育環境：海拔1000m以上中北部山區的路旁或林緣
花期：12月～翌年3月

莖與葉片
莖的特徵：莖直立，地下根莖發達
毛：全株被毛
葉的特徵：根生葉叢生，三出複葉，3小葉以中間那片最大，葉柄長6～10㎝，基部膨大而抱莖，複齒緣

花朵
著生位置：頂生，繖房花序
類型：雌雄同株
顏色：白色或黃白色
花莖：花莖長20～30㎝，花莖上長有一輪總苞似的葉片
花被：萼片5，瓣化；無花瓣
雄蕊：多數
柱頭：鉤狀，有乳狀突起
子房：心皮多數，著生於圓球狀花托上

果實
型態：小瘦果，多數集生於圓球形花托上，有白色綿毛

台灣嗩吶草

台灣嗩吶草是台灣原生的中高海拔野生植物，由於果實的外形狀如以前的民間樂器「嗩吶」，因此稱之爲嗩吶草。

台灣嗩吶草喜歡潮濕，想找到它就得注意陰濕的森林底層或林緣遮蔭處、溪谷水流邊等。它的小花構造很特別，闊鐘形的花萼先端5裂，花瓣5枚，基部長有線形的雙十字細絲構造，讓整朵花看起來像戴著蕾絲花邊，十分容易辨認。

台灣嗩吶草的葉片形狀很像秋海棠，表面有剛毛，而剛長出來的新葉則滿佈毛茸而且葉背是紅色的。

台灣嗩吶草的5枚花瓣基部均長有線形雙十字細裂，是其重要辨識特徵。

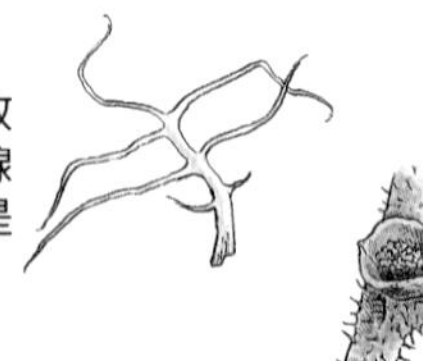

台灣嗩吶草的蒴果呈嗩吶狀，即其名稱的由來。成熟時二瓣裂，內有多數細小種子。

果實

台灣嗩吶草

科別：虎耳草科
學名：*Mitella formosana*
類型：多年生草本
生育環境：2000～3500m中高海拔森林底層潮濕遮蔭處
花期：全年

莖與葉片
莖的特徵：地下根莖細長匍匐
毛：全株有濃密軟毛
葉的特徵：只有根生葉，長4～6㎝，形狀如秋海棠般，具長柄，葉表有剛毛

花朵
著生位置：葉叢中直接伸出花梗，總狀花序
類型：雌雄同株
顏色：黃或暗紅色
花莖：長20～35㎝，有長毛
花被：花萼闊鐘形，先端5裂；花瓣5枚，基部長有線形雙十字細裂
雄蕊：5 枚
柱頭：4裂

果實
型態：蒴果嗩吶狀，成熟時2瓣裂，瓣片膜質
種子：多而細小

小木通

小木通在分類上屬於毛茛科鐵線蓮屬，是台灣特有的高山植物，花朵呈向下半開的鐘狀，造型奇特，值得仔細觀察一番。

小木通的花朵只有4枚鐘形的萼片，邊緣密生白色綿毛，開花時花萼向外翻捲，露出裡面密生長綿毛的多數雄蕊。待花萼、雄蕊一一脫落，果實前端長約3公分的宿存花柱才終於得以上場，在果期中呈螺旋羽狀開展，非常漂亮，是小木通最特殊而且最引人的特徵。

小木通

科別：毛茛科
學名：*Clematis lasiandra* var. *nagasawai*
英名：Nagasawa's clematis
別名：玉山絲瓜花、玉山小木通
類型：多年生蔓性草本
生育環境：中央山脈高海拔山區
花期：1～4月

莖與葉片

莖的特徵：光滑，莖上有溝，節稍膨大
毛：萼片邊緣、花絲、果實有毛
葉的特徵：對生，2回羽狀複葉，3～5片小葉，葉柄長，10～15cm長，小葉3裂，卵形或卵狀披針形

花朵

著生位置：頂生或腋生，1～3朵花組成聚繖花序
苞片：線形，3裂
類型：雌雄同株
大小：2.3cm長
顏色：紫紅色
花莖：紅色的長花梗
花被：萼片4枚，鐘形，邊緣有毛，無花瓣，向下懸垂，開花時萼片向外翻捲
雄蕊：多數，花絲有毛
柱頭：羽毛狀花柱，長2.5～3.5cm，果期之後才呈螺旋狀展開

果實

型態：瘦果，卵狀披針形，外覆有毛，又有一長形、羽毛狀的宿存花柱

岩大戟

岩大戟和猩猩草（請見150頁）、大甲草（請見春夏篇193頁）、飛揚草（請見70頁）一樣，都是大戟科大戟屬的成員，其共同的特徵是全株具乳汁、花序爲大戟花序、雌雄同株異花。

大戟花序是由花瓣化的總苞加上沒有花瓣的雄花與雌花所共同組成，岩大戟的總苞爲黃色，長1至2公分，葉狀長橢圓形，是花序的焦點所在，眞正的花往往一點都不引人。岩大戟的分佈僅限於北部海拔一千公尺的局部山區，天然族群原本就相當少，自然也會被列入台灣的稀有植物。

岩大戟

科別：大戟科
學名：*Euphorbia jolkini*
別名：岩貓眼草、大甲草
類型：多年生草本
植株大小：80㎝高
生育環境：北部平地及低海拔山區（300m以下）的路旁及原野
花期：2～5月

莖與葉片
莖的特徵：莖直立，基部多分枝，全株有乳汁
葉的特徵：葉密生，卵狀或線狀披針形，長4～7㎝，全緣

花朵
著生位置：大戟花序
苞片：總苞花瓣化，葉狀長橢圓形
類型：雌雄同株異花，單性花
大小：徑2㎜
顏色：黃綠色
花被：無花瓣、有萼片，雌花位於衆多雄花的中央

果實
型態：蒴果，多小疣
大小：徑6㎜
種子：球狀，光滑

通泉草

通泉草是冬末春初首先上場的平地小野花，經常成群繁生在比較潮濕的草坪、路旁或田埂邊，只要看到它那小小的紫花，春天的腳步就近了。

通泉草的花朵雖小，但鮮明的藍紫色彩在綠油油的草地上格外突出，加上開花集中、花朵數量又多，遠遠望去宛如繁星點點，非常漂亮。它的花冠唇形，值得進一步仔細觀察其柱頭運動。上下唇瓣之間的喉部長了兩列黃色的毛狀鱗片，柱頭即位於上唇中，呈二叉狀，當花粉送至柱頭時，柱頭會馬上閉合，待10分鐘之後才重新打開，是非常有趣的現象。想實地觀察的話，不妨想辦法爲通泉草人工授粉，將可親眼目睹奇妙的柱頭運動。

通泉草

科別：玄參科
學名：*Mazus pumilus*
英名：divided-by-the-brook
別名：六角定經草、白仔菜
類型：一年生草本
植株大小：6～20cm高
生育環境：平地至低海拔荒地、路旁、潮濕溝渠旁
花期：2～4月

莖與葉片
莖的特徵：莖基部伸出一枝或數枝，匍匐或直立，直立莖不明顯
毛：全株有稀毛
葉的特徵：根生葉叢生，圓頭，基部漸尖，至葉柄成翼狀；莖生葉對生，倒卵形，長2～6cm

花朵
著生位置：總狀花序，頂生
苞片：線狀披針形，2～3mm長，在花梗基部
類型：雌雄同株
大小：1.0～1.2cm長（單朵），花序長10～12cm
顏色：白～淡紫色
花莖：單朵花梗5～10mm，有毛
花被：萼片鐘形，綠色，有毛；花冠唇形，上唇瓣卵圓形，是下唇瓣的一半大小，下唇瓣內側有二條黃色毛狀鱗片
雄蕊：4枚，2長2短的2強雄蕊，花藥白色
柱頭：2叉狀，位於上唇瓣

果實
型態：蒴果，球形，外覆宿存萼片
大小：長4mm
種子：多數，淡褐色，有縱條紋及橫紋

烏子草

烏子草和通泉草（請見前頁）非常類似，不過烏子草的植株較大，花朵比通泉草大型許多，葉形也可加以區分，但對一般人而言，是難度稍高的植物辨別課程。

烏子草的根生葉呈簇生狀，長4至7公分，與通泉草明顯不同，而花朵除了大小的差別之外，烏子草的下唇瓣有兩列非常明顯的黃褐色隆起斑紋，用手去觸摸看看，原來這些斑紋上還長著棒狀的毛。這些精巧的花朵構造都是與昆蟲的傳粉、授粉有非常密切的關係。

通泉草

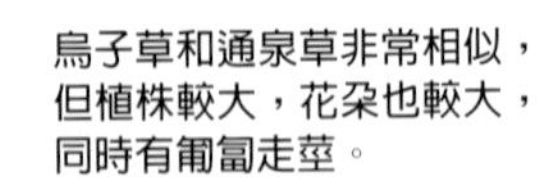
烏子草和通泉草非常相似，但植株較大，花朵也較大，同時有匍匐走莖。

烏子草

烏子草

科別：玄參科
學名：*Mazus miquelii*
別名：匍莖通泉草、米舅通泉草
類型：多年生草本
生育環境：低海拔至平地之田埂等潮濕處
花期：2～4月

莖與葉片
莖的特徵：匍匐枝會伸出
葉的特徵：根生葉倒卵形或卵圓形，長4～7㎝，簇生；匍匐枝上的葉很小，對生

花朵
著生位置：由根生葉的葉間伸出花莖
類型：雌雄同株
大小：長1.5～2㎝
顏色：淡紫色～紫紅色
花莖：長10～15㎝
花被：唇形花冠，上唇2裂，下唇3裂；花萼鐘形，5裂
雄蕊：4枚
柱頭：花柱著生於上唇瓣伸出，柱頭2裂

果實
型態：蒴果，扁球形，下半部包在宿存花萼中
大小：長約4㎜

車前草

車前草，草如其名，常常喜歡成群長在路上或路旁的開闊處，所以又有「當道」的別稱。叢生狀的葉片加上長長的綠色花穗，是人人再熟悉不過的野生植物，只是恐怕很少人仔細觀察它的花朵，它們雖小得微不足道，但卻是車前草成功繁衍的重要關鍵。

車前草的花穗上有多數小花，必須借助放大鏡才能仔細觀察其構造。其白色的花冠筒很小，剛開始被4枚綠色萼片包住，首先伸出花外的長絲構造是它的花柱和柱頭，待這些雌蕊一一授粉成功、枯萎之後，4枚雄蕊和花冠筒才接著露面。只要風一吹，大量的花粉便飛散瀰漫而出，十分驚人。車前草的開花機制應是爲了確保異花授粉而設計的，實在是精巧得讓人匪夷所思。

車前草的蒴果呈卵狀長橢圓形，橫裂，即俗稱為「蓋果」。

車前草的小花，花冠筒很小，4裂，有4枚雄蕊伸出花冠筒外。

車前草

科別：車前科
學名：*Plantago asiatica*
英名：dooryard weed, asiatic plantain
別名：多年生草本
生育環境：平地到高海拔均可見分佈
花期：2～5月盛花，全年皆可開花

根、莖與葉片
莖的特徵：地下莖粗短
根的特徵：鬚根發達
葉的特徵：葉根生，11～15片葉片呈簇生狀，有長柄4㎝，葉卵狀或橢圓形，長6～15㎝，波狀緣

花朵
著生位置：腋出，穗狀花序著生多數小花
苞片：小苞片卵形，長1.5㎜
類型：雌雄同株
大小：2～10㎝（花序）
顏色：白色
花莖：小花無柄，花序有長梗，有毛
花被：萼片4枚，綠色，卵狀長橢圓形，先端尖而反捲；花冠筒很小，4裂
雄蕊：4枚，抽出花外，花藥卵形

果實
型態：蒴果，卵狀長橢圓形，橫裂（即蓋果）
大小：3.5㎜長
種子：4～6粒，扁平，黑褐色，背面隆起

台灣黃菫

台灣黃菫雖是罌粟科的成員，但花形卻和大名鼎鼎的罌粟花相去甚遠，台灣黃菫的花瓣兩側對稱，彼此相連成筒形，而罌粟花的花瓣則是輻射對稱、完全分離的。

台灣黃菫的地理分佈非常特別，一是北部海岸如石門、野柳等地，其次則能生長在海拔二千二百公尺左右的中海拔山區，這種不連續的地理分佈方式，值得進一步探究。

台灣黃菫

科別：罌粟科
學名：*Corydalis tashiroi*
英名：台灣延胡索、元胡
類型：一至二年生草本
植株大小：50㎝高
生育環境：中海拔闊葉林間以及北海岸的野柳、石門等地
花期：2～4月

莖與葉片
莖的特徵：全株柔軟無毛，覆有白粉；莖有稀疏分枝
葉的特徵：葉互生，廣卵圓形，10～20㎝長，二回羽狀複葉，小葉多數，葉柄7～16㎝

花朵
著生位置：總狀花序，腋生或頂生
類型：雌雄同株
大小：12㎝長（花序）
顏色：黃色
花莖：花梗與葉對生
花被：花瓣4枚，相連成筒形，花距短小；萼片2枚，早落
雄蕊：6枚，合生為2束

果實
型態：蒴果，線形，直立
大小：3～4.5㎝長
種子：黑色，圓形

假吐金菊

袖珍的假吐金菊遠從南美洲而來，個子雖小，但可別小看它，其驚人的繁衍能力和適應力，使它得以在平地的各個角落落地生根，幾乎可以說：有土的地方一定找得到假吐金菊。

外形酷似香菜（芫荽）的假吐金菊，沒什麼香氣，小小的頭狀花簇生枝腋，一旦平貼地面的話，花序下面還會長根，以便牢牢將植株固定住。根據研究發現，假吐金菊的個體最多可開一百多個頭狀花序，少則五、六個，而每一頭狀花序又有一百餘個瘦果，大多數瘦果均能順利成熟萌發，這種繁殖速度實在令人咋舌。不過想要找到它的花序和果實，可得翻開葉片，它們通常都緊貼地上、藏在叢生的葉腋下。

假吐金菊

科別：菊科
學名：*Soliva anthemifolia*
英名：false corianda
別名：芫荽草、鵝仔草
類型：一年生草本
植株大小：高6～10cm
生育環境：平地、路旁、耕地，到處可見
花期：2～4月

莖與葉片
莖的特徵：莖平鋪地上或斜上，呈散開狀，莖綠色，多分枝
毛：全株散生長毛
葉的特徵：根生葉2～3回羽狀複葉，葉互生，長約6cm

花朵
著生位置：扁球形頭狀花著生在短莖上，簇生枝腋
苞片：總苞片綠色，長橢圓或披針形
類型：雌雄同株
大小：徑6～10mm
顏色：黃綠色
花莖：無花柄
花被：花不明顯
柱頭：2裂

果實
型態：瘦果，褐色，有翅狀苞片包覆著，苞片上有芒
大小：長0.2mm

龍葵

龍葵最有名的特徵是烏黑剔透的漿果，它的花朵反倒不那麼特別。鄉間小孩最愛採食龍葵的漿果，滋味酸甜可口，台語稱之爲「黑甜仔」，而一般人家也常採集其嫩莖葉煮湯，是相當甘美的菜餚。

另有一種雙花龍葵（請見春夏篇88頁），果實成熟後由綠變紅，且多半長在山區的林下，不妨仔細比較兩者的異同。

龍葵除了是美味的野菜之外，日本目前已有用於治療喉頭癌、聲帶癌、子宮癌等醫藥應用，如果這種常見的野花在癌症治療上確實有療效，那眞是癌症患者的莫大福音。

龍葵

科別：茄科
學名：*Solanum nigrum*
英名：black nightshade
別名：烏子仔菜、烏甜菜、烏子茄
類型：一年生或二年生草本
植株大小：高50～100㎝
生育環境：低海拔荒廢向陽地、路旁、耕地
花期：2～6月

莖與葉片
莖的特徵：莖多分枝，綠色或暗紫色，4稜，有瘤狀物
葉的特徵：互生，葉卵形至長橢圓形，有柄，2～8㎝，全緣或波狀緣

花朵
著生位置：腋生，5～8朵花組成繖形花序
類型：雌雄同株
大小：徑1㎝
顏色：白色、稍帶紫色
花莖：1～2.5㎝長
花被：萼片綠色，5裂；花冠筒短
雄蕊：5枚，聚集成圓錐狀的筒狀構造，花藥黃色
柱頭：柱頭膨大，花柱有毛
子房：圓球狀，光滑

果實
型態：漿果，圓球狀，成熟變成深紫色或黑色
大小：徑5～10㎜
種子：30餘粒，扁平倒卵形，淡黃褐色，有網狀隆起

散血草

到處可見的散血草是應用廣泛的民間藥草，它最顯著的特徵是大型的匙狀根生葉，而且莖葉都帶紫褐色，葉片基部變窄甚至成柄狀，十分特別。

散血草植株不大，紫色或白色的花朵也十分小巧可愛，大多零散或成小片聚生在路旁、石縫、荒地等，耐蔭性佳，特別適應半蔭及向陽的生長環境。下次在牆角或庭園的石縫裡發現它，可別忙著把它拔除，它可是相當有用的藥草，外敷可治刀傷出血、燙傷和皮膚病等，內服則有涼血清熱、消炎消腫等功效。

散血草

科別：唇形科
學名：*Ajuga bracteosa*
英名：bugleweed
別名：有苞筋骨草、筋骨草
類型：多年生草本
植株大小：6～20㎝高
生育環境：低海拔至中海拔山區、路旁
花期：7月～翌年3月

莖與葉片
莖的特徵：短，幾乎看不到
毛：全株有毛
葉的特徵：葉根出，狹倒卵形或匙形，波狀緣，葉脈密生短毛，兩面有毛，葉片長6～15㎝

花朵
著生位置：腋出，緊密排列如穗狀的總狀花序
類型：雌雄同株
大小：長5～8㎜
顏色：白色或淡紫色
花莖：幾近無花梗或只有長5㎜的小花梗
花被：萼片兩唇，上唇瓣3齒裂，下唇瓣2齒裂；花冠管狀，裂片兩唇，下唇比上唇稍大
雄蕊：4，成對突出花瓣之上，2長2短
柱頭：2裂，突出
子房：橢圓形

果實
型態：橢圓形，小堅果，花柱宿存
大小：1.2～1.5㎜長

火炭母草

生命力強韌的火炭母草，從平地一直到海拔二千五百公尺左右都找得到它，其葉面上常有三角形的暗紅斑紋，花朵的花色、花形和大小都宛如飯粒般，非常容易辨識。

火炭母草的嫩莖葉和果實可食，果實上的宿存花被多肉，味道酸甜可口，蔓生的嫩莖葉略帶酸味，喜歡酸醋口味的人必會大呼過癮。除了人類之外，鳥類也喜食火炭母草的花、果和嫩芽。

火炭母草的花被白色或略帶粉紅色，五裂狀且半張半閉，模樣實在像是飯粒，將它剝開，可以看見有8枚雄蕊和3枚花柱藏在裡面。

火炭母草

科別：蓼科
學名：*Polygonum chinense*
英名：Chinese knotweed, smartweed
別名：清飯藤、旱辣蓼、烏炭子、冷飯藤
類型：多年生蔓性草本
生育環境：海拔2500m以下路邊、荒廢地、林緣，到處可見
花期：2～5月

莖與葉片
莖的特徵：莖厚實、長，分枝明顯，有稜有角，莖紅棕色
托葉：托葉鞘斜截形，膜質，抱莖而生
葉的特徵：葉寬卵形，5～9㎝長，全緣，葉柄兩側有狹翼，葉面有三角形暗紅斑塊

花朵
著生位置：頂生，10～20朵花聚集成頭狀，再排列成圓錐或繖房花序
類型：雌雄同株
大小：大小如飯粒，3～4㎜長
顏色：白色或粉紅色
花莖：花梗上有腺毛
花被：花被5裂狀，半開半閉
雄蕊：8枚，花藥淡紫色
柱頭：3裂
子房：三角形

果實
型態：核果，三角形略呈圓球狀，黑色，外覆肉質花被
大小：3～4㎜長

虎耳草

十七世紀由華南引入台灣的虎耳草，非常適應台灣的環境，中海拔以下的陰濕地帶均相當常見，同時也是常見的觀賞植物，而莖葉除了供藥用之外，還可炒食或煮食。

虎耳草最大的特徵是「不整齊花」，它的花瓣大小不一，兩片大、三片小，非常獨特。較大的兩片花瓣通常位於下方，披針形，顏色純白；上方較小的三片則呈淡粉紅色，還散生濃紅色斑點，呈卵形。這樣的組合使整朵花的形狀顯得格外奇妙。

除此之外，虎耳草的簇生狀圓腎形葉片也很容易辨認，葉表暗綠、有白色條紋，葉背則爲暗紫紅色，兩面皆有長毛。

虎耳草

科別：虎耳草科
學名：*Saxifraga stolonifera*
英名：strawberry geranium
別名：金錢吊芙蓉、金絲荷葉、錦耳草
類型：多年生草本
植株大小：高30㎝
生育環境：中北部低海拔山區陰濕地帶
花期：2～5月

莖與葉片
莖的特徵：發達的走莖，走莖末端長出新芽
毛：全株密生細毛
葉的特徵：肉質，有長柄，呈簇生狀，圓腎形，葉面暗綠，有白色條斑，背面暗紫紅色

花朵
著生位置：花莖由葉叢中抽出，圓錐花序
類型：雌雄同株
顏色：白色
花莖：長10～20㎝
花被：萼片5裂，卵形；花瓣5片，上3片較小，淡紅有濃紅斑點，下2片較大，純白色
雄蕊：10枚
子房：球形

果實
型態：蒴果，卵圓形

落地生根

落地生根的名稱由來與其特殊繁殖性狀有關，仔細觀察它的葉片，葉片邊緣的圓鈍鋸齒凹陷處藏有潛伏芽，一旦環境改變或葉片落地時，這些潛伏芽就可能發育成小苗，並長出根、莖和葉子。一片葉片往往可以同時長出數株小苗，繁殖力實在驚人，也難怪會到處可見。

除此之外，到了冬春之際，落地生根還會長出可愛的花朵，一個個下垂，宛如掛滿枝上的小燈籠，不過若進一步仔細觀察，肉眼看到的花朵外觀，其實是它的花萼，呈圓筒狀、紙質，將眞正的花冠部分包覆在裡面，把花萼剝開後就可以看到呈高腳碟狀的花冠。當然，若耐心等待，一樣會看到花萼的先端打開，而露出裡面的花冠，彷若雙層燈籠花。

落地生根

科別：景天科
學名：*Bryophyllum pinnatum*
英名：air plant, life plant, floppers
別名：燈籠草、土三七、倒吊蓮
類型：多年生草本
植株大小：40～100cm高
生育環境：平地、庭園、花圃、田野，到處可見
花期：冬～春季

莖與葉片
莖的特徵：少分枝，有明顯落葉痕，全株多肉而平滑
葉的特徵：對生，莖下部多為單葉，莖上部常為一回羽狀複葉，小葉3～5枚，葉片肉質，有圓鈍鋸齒緣

花朵
著生位置：圓錐花序，小花下垂，頂生或腋生
類型：雌雄同株
大小：花序長10～40cm
顏色：花萼紫褐色或綠褐色；花冠基部綠白色，末端紫紅色
花被：花萼圓筒形，長3cm；花冠高腳碟狀，長5cm，裂片5，卵狀披針形
雄蕊：8枚，花絲長，著生於花冠基部

果實
型態：蓇葖果，藏於花萼及花冠內
種子：多數細小

如意草

如意草又稱匍堇菜，主要因具有多分枝的走莖，呈匍匐狀伸展。另有一種數量比它稍多的台北堇菜，和如意草非常類似，同樣也都分佈在北部山區，不過差別的是台北堇菜的葉片上有硬茸毛，而如意草則完全沒有；而且台北堇菜的花色比較偏白色，與如意草略有差別。

堇菜屬的花除了有「距」的特殊構造之外，花朵還可以分成兩種類型，一是春季開的花，又大又美；另一種是在夏天才開，花朵很小又沒有花瓣，但會自花授粉，這種閉鎖式受精的好處便是確保授粉的成功率極高。因此欣賞如意草的美妙花朵之餘，也請留意夏季出現的閉鎖花，並比較春季異花授粉與夏季自花授粉的差別。

如意草

科別：堇菜科
學名：*Viola arcuata*
別名：匍堇菜
類型：多年生草本
植株大小：5～30㎝高
生育環境：主要分佈在台北郊區、路旁及開闊的原野
花期：冬末～春季（2～4月）

莖與葉片
莖的特徵：根莖很短，莖直立或斜上，單立或叢生
托葉：披針形
葉的特徵：有根生葉及莖生葉兩種，葉柄長2～8㎝，葉圓腎形，葉心形，有鈍鋸齒

花朵
著生位置：單出
苞片：2苞片
類型：雌雄同株
大小：徑約1～1.5㎝
顏色：花瓣白紫色，內面有紫色條紋
花莖：長
花被：花瓣5枚，花萼5枚，有距

果實
型態：蒴果
大小：0.4～0.8㎝長

山芥菜

山芥菜因帶有類似芥菜的辛辣味而得名，在低海拔的田野、路旁、菜園或水溝附近都找得到它，有的群生、有的三三兩兩散生；有的矮小、向四方開展，有的高大、分枝呈直立狀。山芥菜是野地裡難得的美食，不過最好在開花前採食幼嫩的部位，以沸水去其辛辣味之後，即成美味可口的野菜。

山芥菜的果實和蔊菜（請見145頁）一樣都是長角果，長角果裂開的時候成兩個瓣裂，中間有一層薄薄的膜相隔，不妨將長角果與一般豆科植物的莢果作一比較。

山芥菜

科名：十字花科
學名：*Rorippa indica*
英名：India fieldcress
別名：葶藶、白骨山葛菜、印度蔊菜
類型：多年生草本
植株大小：20～50㎝
生育環境：低海拔路旁、原野草地或荒廢地
花期：1～5月

根、莖與葉片
莖的特徵：初生時植株平貼地表，抽莖後多分枝
根的特徵：主根很長
葉的特徵：互生，根生葉呈羽狀深裂，莖生葉披針形，無柄

花朵
著生位置：總狀花序，生於枝端
類型：雌雄同株
大小：直徑4～5㎜，花序長4～6㎝
顏色：黃色
花莖：短
花被：萼片線狀長橢圓形；花瓣4枚，呈十字排列，花瓣鈍頭，如篦形
雄蕊：6枚，4長2短
柱頭：1枚

果實
型態：長角果，細長圓柱形，略上彎曲
大小：2㎝長
種子：黃色，橢圓形

泥胡菜

泥胡菜和其他生活在休耕農田的野花一樣，可以在短短的兩、三個月內，完成整個生活史，一旦春耕開始，它的瘦果早就準備充分，隨時可以入土夏眠。

泥胡菜的花朵是全由管狀花組成的頭狀花，由於總苞呈球形，又有8列膜質的苞片以覆瓦狀排列，構成一個緊密無比的杯狀構造，而成為泥胡菜十分容易辨識的特徵。花朵盛開時，只見管狀花的絲狀裂片完全張開，遠遠望去，好像一個個頂著一頭稻草般的小娃娃，隨風搖曳生姿，非常可愛。

泥胡菜

科別：菊科
學名：*Hemistepta lyrata*
英名：fog's hemistepta
別名：野苦麻、銀葉草
類型：一年或二年生草本
植株大小：高30～100㎝
生育環境：中北部低海拔休耕地、原野及路旁
花期：秋～翌年春季

莖與葉片
莖的特徵：有縱溝，被毛，多分歧
毛：全株有白色蜘蛛狀毛
葉的特徵：互生，下層葉闊倒披針形，琴狀羽裂，葉背覆白絨毛；中層葉長橢圓形，琴狀羽裂；上層葉極少，線狀披針形

花朵
著生位置：頂生，頭狀花呈繖房狀排列
苞片：總苞球形，苞片8列，排列呈覆瓦狀，外覆長柔毛
類型：雌雄同株
大小：徑1～2.5㎝
顏色：紅紫色
花莖：很長
花被：由管狀花密集成頭狀花，管狀花5裂，裂片絲狀
雄蕊：多數，花絲基部有絲狀附屬物，花藥白色
柱頭：棒狀，有粗毛，2裂

果實
型態：瘦果，長橢圓形，有2層冠毛，內層較長，呈羽毛狀，會脫落；外層冠毛則宿存；紅褐色，具15稜
大小：長2.5㎜

刺莓

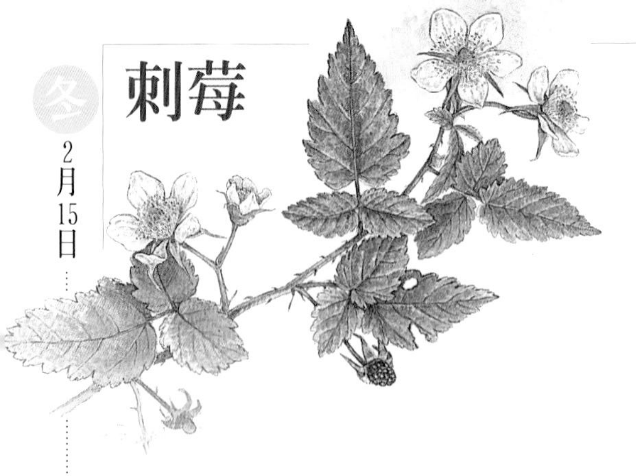

刺莓是低海拔地區最為常見的懸鉤子屬植物之一，它們的名稱經常混淆不清，不過酸甜有勁的果實倒是非常一致的特徵。

刺莓常被叫做「草莓」或「野草莓」，其實它和草莓的差異頗大，只要細心一點，絕對可以分辨清楚的。刺莓是一種灌木，全株密生倒鉤刺，葉片為羽狀複葉；而草莓則是草本植物，全株無刺，葉片為三出複葉。不過它們共同的一點是，不僅人類愛吃它們的果實，連鳥、獸和昆蟲也都非常愛吃，是許多小動物的重要食物來源。

刺莓

科別：薔薇科
學名：*Rubus taiwanianus*
別名：刺波、虎婆刺、台灣懸鉤子、虎蕾刺
類型：灌木
植株大小：50㎝高
生育環境：平地、山區路旁、原野、廢耕地，多見群生
花期：冬末～春季

莖與葉片

莖的特徵：全株密生倒鉤刺，多毛
毛：全株密生絨毛
托葉：線狀披針形
葉的特徵：羽狀複葉，3～5小葉，頂生小葉最大，葉緣有雙重鋸齒

花朵

著生位置：頂生或腋生，花單朵或成對
類型：雌雄同株
顏色：白色
花莖：花梗多毛而且有倒鉤刺
花被：萼片深鋸齒，裂片三角卵形，有長毛，內有白色茸毛；花瓣5枚，圓形
雄蕊：多數

果實

型態：漿果由多數小核果組成，熟時紅色
種子：2粒種子

細梗絡石

細梗絡石的每一莖節上都可長出氣生根，蔓莖細長，纏繞闊葉林樹木而上，是低海拔山區相當常見的常綠灌木。

細梗絡石的花朵白色，5枚花瓣呈星狀開展，又有芳香，乍看之下，與香花植物茉莉有幾分類似。其生性既耐旱又耐貧瘠，因此可做爲很好的地被植物，有水土保持的效果，同時它也是很好的野外求生植物，可敷治創傷、有止血之功效。

細梗絡石

科別：夾竹桃科
學名：*Trachelospermum gracilipes*
英名：slender stem starjasmine
別名：細梗白花藤
類型：纏繞性灌木
生育環境：低海拔闊葉林，蘭嶼也有
花期：冬末～春季

莖與葉片

莖的特徵：全株光滑，有多數氣生根，莖細長
毛：幼嫩部位略有細灰褐毛
葉的特徵：對生，橢圓形或長橢圓形，基部銳

花朵

著生位置：頂生或腋生，聚繖花序
類型：雌雄同株
大小：徑約2cm
顏色：白色或略帶粉紅
花被：萼片筒狀，深紅色；花瓣5枚，長披針形

果實

型態：蓇葖果，圓柱形
大小：長10～20cm
種子：線形，有長種髮

蘄艾

蘄艾的外形或葉色在野花當中，永遠那麼特殊而搶眼，粉白色、毛茸茸的葉子，老遠就認得出來，用手觸摸，一股濃郁香氣撲鼻而來，想不認識它也難。

蘄艾的生長環境相當特殊，多半生長在珊瑚礁岩上，由於分枝很多而使灌叢呈飽滿的圓團狀。由於其根及老幹是民間常用的藥草，長年濫採的結果使蘄艾的野生植株越來越少，大多數都被人們挖回家種植了。藥草的用途固然可以造福許多人，但有時對野生植物的戕害卻是遠超乎我們的想像，蘄艾便是典型的犧牲者，雖然它不致絕跡，但卻將失去它的原有家園以及在那個微妙生態系裡的位置。

蘄艾

科別：菊科
學名：*Crossostephium chinense*
英名：Chinese crossostephium
別名：海芙蓉、玉芙蓉、千年艾
類型：多年生小灌木
植株大小：高30～80㎝
生育環境：北部海岸、澎湖、綠島和蘭嶼的珊瑚礁岩上
花期：秋～冬季

莖與葉片
莖的特徵：分枝多，常形成圓形灌叢，全株芳香
毛：全株密被銀白色絨毛
葉的特徵：葉粉白色，倒卵狀披針形至匙形，先端鈍至圓或淺三裂

花朵
著生位置：頂生或腋生，頭狀花呈總狀排列
類型：雌雄同株
大小：徑約3～7㎜
顏色：淡黃色
花被：全部由管狀花組成，半球形，外圍是雌性管狀花，頂端2～3裂；中央為兩性管狀花，頂端5裂

果實
型態：瘦果，長橢圓形，有5稜，冠毛很短

天胡荽

天胡荽是人盡皆知的迷你野草，舉凡盆栽的土面、牆角、庭園角落或任何靠近人煙的地方，幾乎都可以發現它的存在。以天胡荽繁衍的本領和蔓延的能力，大概也很難找到勢均力敵的對手，所以又有「遍地錦」的別名。

天胡荽的植株完全貼地而生，又可節節生根，根本不怕強風暴雨的摧殘，即使連人類也奈何不了它，除非蹲在草地上一株株拔除，否則連除草機、鐮刀也沒用。天胡荽的莖葉即使被拔除殆盡，只剩下殘枝殘葉，仍然能夠再度長成繁茂的植株。這種驚人的生命力令人尊敬佩服！

天胡荽

科別：繖形科
學名：*Hydrocotyle sibthorpioides*
英名：coin pennywort
別名：地光錢草、遍地錦、破銅錢
類型：多年生草本
生育環境：低海拔地區的庭園和草地，到處可見
花期：冬～春季

莖與葉片
莖的特徵：莖匍匐地面，節上長根
毛：全株光滑無毛
葉的特徵：互生，圓心臟形，直徑約0.5～1.5cm，5～9淺裂，每一裂片再3～5齒裂

花朵
著生位置：腋出，5～10朵花聚集而成單繖形花序
苞片：總苞片4～10枚，倒披針形
類型：雌雄同株
大小：花朵細小
顏色：白綠色
花被：花瓣5片
雄蕊：5枚
子房：下位

果實
型態：離生果扁球形，多數密集成毬果狀，有細短的宿存花柱
大小：徑1～1.5mm

水丁香

水丁香是一種嗜水植物，通常傍水而生，成小片或散生在平野或低海拔的溝渠、溪流、沼澤或水田四周。

水丁香最有趣的特徵是酷似小香蕉的果實，其蒴果呈圓筒狀，頂端又有4裂的宿存萼片，顏色綠中帶點紫紅，確實很像迷你香蕉。若想拿水丁香的果實和小孩玩草花遊戲，不妨選擇即將裂開的成熟果實，遊戲結束之後還可將小種子撒在有水的空曠地，好讓更多的水丁香可以長出來。

水丁香的花朵很好辨認，4片倒卵狀圓形的花瓣，先端凹形，中央又有半球狀、4裂的柱頭，構造簡單而明顯。

水丁香

科別：柳葉菜科
學名：*Ludwigia octovalvis*
英名：lantern seedbox
別名：水香蕉、水燈香、假黃車
類型：一年生草本
植株大小：20～60㎝高
生育環境：低海拔乾廢水田、濕地、溪流、池塘等
花期：2～4月

莖與葉片
莖的特徵：莖粗糙有稜，基部木質化，分枝甚多
毛：全株有細毛
葉的特徵：線形、披針形或長橢圓形，長6～8㎝

花朵
著生位置：腋生，單朵
苞片：細小
類型：雌雄同株
大小：徑2㎝
顏色：黃色
花莖：花梗0.5～1㎝長
花被：萼片筒狀，綠色，先端4裂；花瓣4片，倒卵狀圓形，先端凹形
雄蕊：8枚
柱頭：半球狀，4裂

果實
型態：蒴果，圓筒狀，頂端有宿存萼片，紅綠色，具8稜，有長毛
大小：1.7～4.5㎝長
種子：橢圓形，暗紅色

刻葉紫堇

刻葉紫堇是罌粟科的多年生草本，全株含有鴉片鹼(Protopine)，早在『本草綱目』中即已記載，以紫堇的花及葉煎汁可治小兒脫肛，而塊莖則可作爲鎮痛劑。

刻葉紫堇的葉片很像胡蘿蔔，爲2至3回羽狀複葉，全裂，十分容易辨識。而果實爲長橢圓形蒴果，成熟時果皮會彈開，種子則四處飛散。

刻葉紫堇

科別：罌粟科
學名：*Corydalis incisa*
別名：紫堇、紫華鬘、地錦苗
類型：多年生草本
植株大小：高約15～30㎝
生育環境：中海拔山區林緣、路旁濕潤地
花期：2～5月

莖與葉片

莖的特徵：有稜，叢生，莖方形
葉的特徵：有柄，2～3回羽狀複葉，小葉3裂或羽裂，有齒緣，形似胡蘿蔔的葉片

花朵

著生位置：頂生，總狀花序
苞片：扇狀楔形至倒披針形
類型：雌雄同株
顏色：紅紫色
花莖：長1～1.5㎝
花被：花萼全裂成絲狀；花冠筒狀唇形分裂

果實

型態：蒴果，長橢圓形，直立性，兩端狹窄，熟時果皮彈開，種子飛散
大小：1.5㎝長

薄葉細辛

從冬末開始，走在中低海拔山區中，不妨多留意地表附近，馬兜鈴科的薄葉細辛將會陸續登場。其全株披有長而捲曲的毛，非常好認，加上三角狀心形的葉片，以及奇特而短小的花朵，讓人一看就知道是細辛屬的植物。

細辛屬的花朵沒有花瓣，是由3片肉質萼片聚生成壺狀的萼筒，下半部完全合生，萼筒口的內側有一環狀構造，是細辛屬植物的重要區別依據。薄葉細辛的花被有3裂片，呈三角披針形，同時裂片尖端又有奇特的尾狀物構造，和其他細辛是可以清楚區分的。

大花細辛（*Asarum macranthum*）別稱馬蹄香，與薄葉細辛同屬馬兜鈴科細辛屬植物，常見於全省中低海拔的森林下層地帶。

薄葉細辛

科別：馬兜鈴科
學名：*Asarum leptophyllum*
類型：多年生草本
生育環境：中低海拔闊葉林下
花期：2～8月

莖與葉片
莖的特徵：莖短，匍匐地面
毛：全株披有長而捲曲的毛
葉的特徵：膜質，卵狀橢圓形到三角狀心形，8～10㎝長，葉柄長10～12㎝，葉背葉脈有短毛，葉柄毛很長

花朵
著生位置：單生，由葉腋伸出
類型：雌雄同株
大小：0.7～1㎝長
顏色：暗綠到紫色
花莖：花莖短
花被：花被披有短毛，裂片3，呈三角披針形，尖端有尾狀物
雄蕊：9～10枚
柱頭：6枚
子房：圓球狀，6室

果實
型態：蒴果，圓球狀，花柱宿存
種子：多數

七葉一枝花

七葉一枝花的造型奇特，算是植物界中的「異議份子」，它的花朵分成兩輪，外輪花被宛如縮小的葉片，爲黃綠色的披針形，而內輪花被則成狹長的絲狀。這樣特殊的外形確實讓人過目難忘。

七葉一枝花多半長在闊葉林下的陰濕處或路旁，七片葉子輪生於莖頂，讓人老遠就可以認出它來。其地下根莖有毒，但民間常將其打碎，加酒和醋外敷，可用於一般消腫或蟲蛇咬傷的治療。明朝李時珍在『本草綱目』即已記載：「蟲蛇之毒，得此治之即休，故有蚤休、螫休諸名。」

七葉一枝花

科別：百合科
學名：*Paris polyphylla*
英名：paris
別名：七葉蓮、青木香、七厚蓮、蚤休
類型：多年生草本
植株大小：60～120㎝高
生育環境：海拔1500m以下闊葉林陰濕林下
花期：2～4月

根、莖與葉片
莖的特徵：具短根莖，光滑，肥厚有節，莖單一，帶紫色，基部有膜質葉鞘包莖
根的特徵：眾多鬚根
葉的特徵：葉生於莖頂，通常7片，輪生，具短柄，長橢圓披針形，長15～30㎝，全緣

花朵
著生位置：頂生，單朵
類型：雌雄同株
大小：外輪花6～9㎝長，內輪花2～6㎝長
顏色：黃綠色
花莖：3～6㎝長
花被：花被片8～10枚，呈兩輪排列，外輪花5～6枚，長橢圓披針狀，與葉類似，內輪花絲狀
雄蕊：5～6枚，花絲扁平，花藥線形，長度為花絲的2～3倍
柱頭：花柱5～6枚
子房：圓錐形，有5～6稜

果實
型態：蒴果，球形
種子：鮮紅色，卵形，多數

台灣草紫陽花

台灣草紫陽花是八仙花科草紫陽花屬的植物，其花序與野生繡球花相去不遠，都是生活在陰濕闊葉林下的變通辦法。

台灣草紫陽花的花序可寬達20公分，其外圍的大型花朵是由2枚瓣化的萼片所形成，而中央細小的藍紫色小花才是眞正的兩性花。以如此誇張而耀眼的瓣化萼片才能在陰暗的森林中將昆蟲吸引過來，也才能讓中央部位其貌不揚的兩性花完成繁衍下一代的任務。

台灣草紫陽花

科別：虎耳草科
學名：*Cardiandra formosana*
別名：台灣草繡球、台灣草八仙花
類型：小灌木
植株大小：高1m左右
生育環境：中海拔山區闊葉林下陰濕處
花期：2～4月

莖與葉片
莖的特徵：莖光滑
毛：葉有稀毛
葉的特徵：葉薄，長卵圓形，12～15cm長，兩面有稀毛，葉柄長2～4.5cm，葉緣有明顯鋸齒

花朵
著生位置：頂生，繖形花序
類型：雌雄同株
大小：徑20cm（花序）
顏色：淡紫色（瓣化萼片）、藍紫色（兩性花）
花被：萼片瓣化，2片；花瓣很小
雄蕊：10枚以內

果實
型態：蒴果，卵形，熟時由花柱間裂開
大小：徑0.6～0.8cm
種子：多數而小，呈紡錘形

細葉蘭花參

細葉蘭花參的花冠鐘形，5深裂。

細葉蘭花參的蒴果呈倒圓錐狀，萼片宿存，內有多數的褐色種子。

細葉蘭花參的柱頭3裂，有毛。

細葉蘭花參，草如其名，長得纖瘦極了，是植物界裡弱不禁風的「趙飛燕」。但它脫俗的花色和溫柔的花形，確實讓人又愛又憐，只是大自然終究不像人類，是不會以「貌」取「生命」的，那麼，細葉蘭花參究竟如何在激烈的生存競爭中倖存下來呢？

原來，它的秘密藏在飽滿的蒴果裡面。剝開細葉蘭花參的果實，很難想像這麼小的空間竟會塞了這麼多的種子。細葉蘭花參便是以種子的「人海戰術」，而得以在競爭激烈的草地上佔有一席之地。

細葉蘭花參

科別：桔梗科
學名：*Wahlenbergia marginata*
英名：gentian rockbell
類型：多年生草本
植株大小：20～45㎝高
生育環境：低～中海拔山區林緣、路旁及沙質河床
花期：2～6月

根、莖與葉片
莖的特徵：莖直立，偶有分枝，基部匍匐生長，細長
根的特徵：主根肉質，粗大，呈半透明狀
毛：葉緣有稀毛，柱頭毛狀物濃密
葉的特徵：根生葉及下方葉片長2～8㎝，波狀鈍齒緣；上方葉片線狀披針形

花朵
著生位置：單朵，頂生
類型：雌雄同株
大小：徑5～8㎜
顏色：紫藍色，白色罕見
花莖：花梗很長
花被：萼片5裂，狹三角形；花冠鐘形，5深裂
雄蕊：5枚，花藥黃色，花絲基部膨大
柱頭：3裂，有毛，花柱圓筒狀
子房：倒圓錐形，有稜，3室

果實
型態：蒴果，倒圓錐形，萼片宿存
大小：6～8㎜長
種子：褐色，長橢圓形，量多

黃花根節蘭

黃花根節蘭的分佈很廣，從日本、琉球、台灣一直到菲律賓、海南島、馬來西亞和緬甸東部都有，在台灣主要生長在中低海拔二百至一千二百公尺的山區闊葉林下，非常常見。由於其花序由許多黃色小花密集成串，因此又名黃苞根節蘭或黃穗根節蘭。

黃花根節蘭的花朵多數，不十分張開，主要因為它有很大的披針形苞片，苞片呈覆瓦狀排列，花苞就像未開花的蓮花似的，然後苞片一片片脫落，花朵就一朵朵開放，非常有趣。其種名(*lyroglossa*)的意思是「琴形的舌瓣」，即描述黃花根節蘭的舌瓣特徵。

黃花根節蘭

科別：蘭科
學名：*Calanthe lyroglossa*
英名：yellow spikelet calanthe
別名：黃苞根節蘭、黃穗根節蘭
類型：多年生草本（地生蘭）
植株大小：高約50cm
生育環境：中低海拔200～1200m的山地森林林下，十分常見
花期：1～3月
莖與葉片
莖的特徵：假球莖排列緊密，卵形或卵狀圓柱形，長2.5～3.5cm，隱藏於葉鞘內
葉的特徵：葉3～6枚，闊倒披針形至倒披針形，長30～45cm，紙質，全緣，基部延伸至葉鞘，葉鞘先端略包旋性，基部抱莖
花朵
著生位置：花莖自葉叢抽出，花多數呈總狀花序
苞片：苞片大，呈覆瓦狀排列
類型：雌雄同株
大小：徑4～6cm（單朵），長15～30cm（花序）
顏色：黃色至鮮黃色
花莖：長30～50cm，綠色、光滑
花被：萼片為整齊的橢圓形，花瓣卵形，唇瓣腎形，3裂，中裂片大，先端凹或淺2裂，距短
雄蕊：花粉塊8枚，長橢圓形，無花粉柄
柱頭：蕊柱與唇瓣基部相連成管狀

日本女貞

花朵清香的日本女貞是木犀科的常綠大灌木，只分佈在北部和中部的中高海拔山區，其花冠圓筒狀，先端4裂，而多數小花又密生成圓錐花序，生於小枝末梢，遠遠望去，只見密密麻麻的白色花朵，宛如冬末春初的薄雪一般美麗。

日本女貞的葉、花、果枝是插花者愛用的花材，同時它也是著名的野菜，其嫩芽、嫩葉及種子可食，將種子炒熟、泡茶飲用，可做爲咖啡的代用品，而新芽及嫩葉略帶苦味，宜用沸水燙過或鹽水浸泡，再行煮食或炒食。

日本女貞

科別：木犀科
學名：*Ligustrum japonicum*
英名：Japanese privet
別名：鈍頭女貞、毛女貞、女貞木
類型：大灌木
植株大小：3m高
生育環境：北部和中部的中高海拔山區(1000～3000m)
花期：2～4月

莖與葉片
莖的特徵：小枝灰褐色，多分歧
毛：嫩枝及花序被毛茸
葉的特徵：對生，薄革質，倒卵形、卵形或長橢圓形，長2.5～6㎝，全緣

花朵
著生位置：頂生，圓錐花序
類型：雌雄同株
顏色：白色
花被：萼片鐘形，頂端有4齒；花冠圓筒狀，先端4裂
雄蕊：2枚，著生於花冠筒上方，挺出花外，花藥紫褐色
柱頭：2裂
子房：2室

果實
型態：核果，橢圓形或卵形，紫黑色
大小：長0.7～1㎝

狹瓣八仙花

狹瓣八仙花和其他八仙花一樣，顯眼而大型的花朵是由萼片瓣化而成，眞正的花朵爲黃色、長倒披針形，藏在無性花朵的中央。

狹瓣八仙花在中高海拔山區的林下或林緣均能生長，每當早春大量花朵盛放時，潔白的無性花在陰暗的闊葉林中顯得格外耀眼，自然也就可以吸引許多昆蟲前來授粉。這種伎倆是所有八仙花種類都懂得的繁衍高招。

狹瓣八仙花

科別：虎耳草科
學名：*Hydrangea angustipetala*
英名：narrow-petaled hydrangea
別名：常山
類型：灌木
植株大小：高1～4m
生育環境：中高海拔闊葉林下或林緣
花期：2～4月

莖與葉片
毛：全株幼嫩部位被有柔毛
葉的特徵：對生，膜質，卵形、倒卵狀披針形或長橢圓形，長10㎝

花朵
著生位置：頂生，聚繖花序
苞片：有苞片
類型：雌雄同株（有無性花及兩性花）
顏色：黃色，苞片白色
花莖：無性花有長梗
花被：無性花之萼片4～6枚，瓣化，大小不等，全緣；兩性花萼片及花瓣均5枚
雄蕊：10枚
柱頭：3裂
子房：3室

果實
型態：蒴果，圓球形，有宿存萼片，3稜
大小：徑4㎜

馬醉木

馬醉木是台灣特有植物，因葉、樹皮有劇毒，馬一旦誤食便會昏睡不醒，故稱之爲「馬醉木」。以前民間曾取其樹皮和葉煎汁，以驅除家畜皮膚上的寄生蟲。

馬醉木是陽性植物，特別是火燒後的跡地或高山草生地，最容易看到它，是高山樹種演替的先鋒部隊。其外形清楚易辨，葉片叢生枝端，早春盛開白色壺狀的小花，這些懸垂性小花成串成簇，非常引人，是馬醉木最顯著而且容易記憶的特徵。

馬醉木

科別：杜鵑花科
學名：*Pieris taiwanensis*
英名：Taiwan pieris
別名：台灣馬醉木、台灣梫木
類型：灌木
植株大小：1～3m高
生育環境：中高海拔(2000～3000m)向陽地、高山草生地成火燒後裸地
花期：1～4月

莖與葉片
莖的特徵：莖枝光滑無毛
葉的特徵：葉叢生枝端，革質，倒披針形，5～8cm長，中肋明顯，葉背顏色較淡，幼葉呈紫紅色

花朵
著生位置：頂生，總狀花序，花密集開放，懸垂性
類型：雌雄同株
大小：7～10cm長（花序）
顏色：白色
花莖：每一花朵的花梗極短
花被：萼片5裂；花冠壺形，先端5淺裂
雄蕊：10枚，花藥有2芒
子房：上位

果實
型態：蒴果，球形，有宿存萼片
大小：徑7㎜
種子：小而多

附錄

山野草的栽培

栽培山野草的首要條件便是充分了解該種野花的生長環境和開花時間。無論是採集種子或扦插繁殖或取地下莖繁殖或移植小苗，都應當仔細觀察它所生長的環境，是在日照良好、乾燥的地方，或是有水的濕潤地帶，亦或是介於這兩者之間的環境。

採集方法

種子的採集　草花類的種子通常在夏秋間成熟，它們極容易在碰觸後彈落或附著在其他動物身上，採集時可隨興在野草地上走一走，將沾在褲管上的種子攜回播種；也可有計畫性地選擇種類，並用塑膠袋或容器罩住或盛接。一般來說，直採直播的發芽率最好，因為有些種子一旦乾燥或歷經太長的時間便不容易發芽，其中像帶有果肉的種子，一定要將果肉充份刷洗掉並盡速播種，才容易發芽。種子播撒後覆土不宜超過1公分，以免造成不透氣而腐爛。採自高山的種子通常需要一個月以上的時間，歷經寒冷休眠期之後才會發芽。

扦插　扦插或移植都應在陰天或傍晚進行，此時植物的生長遲緩，較不會造成脫水現象。取約10公分長的插穗，盡

取自山野的草花多姿多彩（程延華栽植，張蕙芬攝）。

野慈姑與迷你睡蓮的合植（徐偉栽植，張蕙芬攝）。

速插植在濕潤的土壤上，並放置在有少許陽光的地方，以利植物在未發根前能靠行光合作用維持生命。剪取插穗時，要在莖節下處落剪(插穗將在此處發根)；插穗上的葉片若是大而軟的紙質葉，可從葉柄上1公分處剪去，厚、硬的革質葉不易脫水，可剪去一半的葉身即可，或者只留2個葉片。插穗發育生根期間，要經常保持土壤濕潤，不宜施肥與搖動，以免傷根。一般而言，凡是莖上有節的植物，都可以用扦插法繁殖，此法比播種方式更早開花，也能得到和母株相同品質的後代。

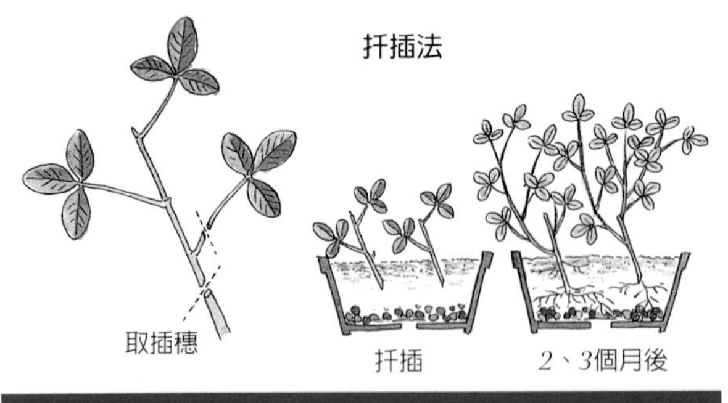

《採集守則》

①國家公園內或自然保護區嚴禁任何採集。
②採集時，以不破壞原來生態環境爲原則。
③稀有植物或族群不旺盛、不認識的品種不宜採集。
④閱讀有關有毒植物資料，避免不當接觸造成中毒。

採集地下莖　採地下莖最忌用拉扯的方式，如此不但傷害母株，連取得的地下莖也容易傷痕累累而不易發芽。謹慎撥開母株周圍的土壤，切下一段地下莖，再用濕報紙包妥帶回。而母株周圍的土壤得覆平恢復原狀。採地下莖的同時應觀察它埋在土裡的深淺程度，作爲種植時的覆土參考。

移植　對於數量大的野草，少量移植並不會影響其族群的繁衍。在一大片的草花中，應盡量移植內側的植株，因外側植株是該植物擴展勢力的主力軍，宜避免形成干擾。開花前後也不宜移植。

若得知正在施工或即將施工的路段，由於道路兩旁的野花將面臨被挖剷消滅的命運，適時移植也不失為良策。

盆與土壤

喜歡乾燥土壤的植物適合用高高的瓦盆，以利排水和透氣；土壤則選用較粗且硬的顆粒土，盆底所舖的粗石粒也要多一些。

喜好潮濕有水氣的植物，使用淺盆的保水性較好；水苔和壤土的保水性也比較好。

其他的植物則選擇適中的盆，以一般市售的培養土即可。

虎耳草迷你小景（程延華栽植，張蕙芬攝）。

日常的照顧

①擺置位置盡量與原生長環境的日照情況類似。林下、林緣類的野花對陽光的需求性低；荒地、裸露地的野花較需全日照。通風佳的環境會讓植物生長更好，較不會有葉片黃落情況。您也可以先考慮擬擺置的位置，再選擇想栽培的野花。

②適時修剪。生長過速將造成根部負荷過量，同時姿態也不佳。

屋內一角山葡萄綠藤垂飾。
（程延華先生栽植，張蕙芬攝）

③每次的澆水應將盆土充份淋濕，待盆土表面乾後再澆水。開花期宜避免花朵淋雨或淋水，如此賞花期才能更持久。

種植野花的基本方法

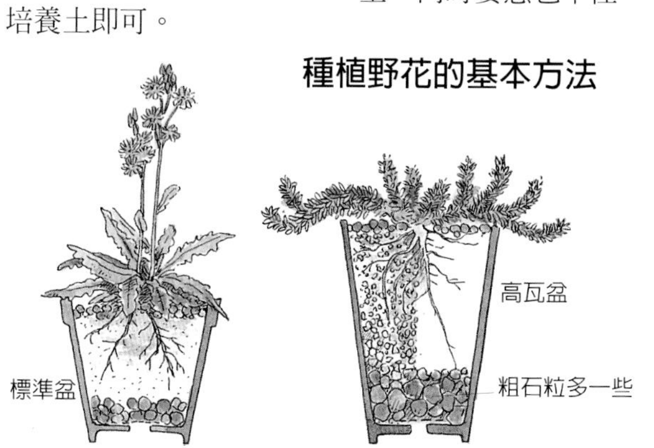

蜜源植物名錄

台灣的蝴蝶種類近400種，若以單位面積的蝴蝶密度來看，堪稱世界第一。但這麼豐厚的蝴蝶資源，爲何一般人卻不容易看見蝴蝶紛飛的美景？除了棲地的減少、環境污染等原因讓蝴蝶數量大爲減少之外，還有一重要因素卻是大家很容易忽視的——食草植物和蜜源植物的不足。如果沒有蝴蝶幼蟲愛吃的「食草植物」以及蝴蝶可以吸蜜的「蜜源植物」，怎麼可能能夠看見在花叢間飛舞的美麗蝴蝶？而蝴蝶賴以爲生的食草植物和蜜源植物，很多都是野花的種類，只可惜在都市或道路兩旁，這些野花常常很快就被割草機清理掉，也連帶讓我們失去了美麗的蝴蝶。

昆蟲與植物之間微妙的依存關係，一向不受重視，失去蝴蝶或許比較容易引起大多數人的關注，但還有太多太多的螞蟻、蚜蟲、瓢蟲、甲蟲、蛾、蜂等，無不與植物構成精巧的生命之網，而保護植物的棲地自然就可以保住無數生活其間的生物。

這一份蜜源植物名錄提供大家參考，旨在提醒植物與昆蟲之間密不可分的關聯，並不是僅僅強調保護蝴蝶的重要性。但從蝴蝶著手未嘗不是好事，經由觀察牠們在野花叢中活動覓食，將可進一步發現許許多多共同生活的生物。

食草植物

1.山芥菜：台灣紋白蝶（請見秋冬篇176頁）
2.小蘗屬：深山粉蝶、白三線蝶
3.含笑花：青帶鳳蝶、青斑鳳蝶
4.白玉蘭：青帶鳳蝶、青斑鳳蝶
5.黃麻：蛺蝶類
6.禾本科植物：蛇目蝶類、環紋蝶、樹蔭蝶、挵蝶類等
7.五節芒：黑樹蔭蝶、波紋玉帶蔭蝶、蛇目蝶、狹翅挵蝶（請見秋冬篇113頁）
8.狗尾草（禾本科）：小蛇目蝶、樺斑蝶、黑脈樺斑蝶
9.蝴蝶木屬：粉蝶類
10.醉蝶花：紋白蝶
11.石榴：恆春小灰蝶
12.豆科植物：黃蝶類、三線蝶類、淡紫小灰蝶、琉璃小灰蝶、荷氏黃蝶
13.合萌：荷氏黃蝶（請見秋冬篇23頁）
14.山地豆：小三線蝶、台灣小灰蝶（請見秋冬篇10頁）
15.濱刀豆：波紋小灰蝶（請見春夏篇172頁）
16.鐵刀木屬：黃蝶類
17.阿勃勒：淡黃蝶屬、銀紋淡粉蝶
18.假含羞草：黃蝶屬、淡黃蝶屬、星黃蝶、端黑黃蝶（請見秋冬篇44頁）
19.黃槐：淡黃蝶屬、荷氏黃蝶
20.黃野百合：波紋小灰蝶(請見春夏篇103頁）
21.鳳凰木：黃蝶屬
22.變葉山馬蝗：琉球三線蝶
23.毛胡枝子：小三線蝶（請見秋冬篇89頁）
24.含羞草：台灣小灰蝶屬(請見秋冬篇45頁）
25.葛藤：銀背小灰蝶、三線蝶、銀斑小灰蝶(請見春夏篇183頁）
26.印度田菁：淡黃蝶、台灣小灰蝶
27.白花苜蓿：黃紋粉蝶（請見春夏篇122頁）
28.紫藤：銀背小灰蝶、琉璃小灰蝶、銀斑小灰蝶
29.紅星金銀花：紫單帶蛺蝶
30.柑橘類：鳳蝶類
31.莢蒾：琉璃小灰蝶
32.使君子：淡紫小灰蝶、台灣三線蝶
33.金蓮花：紋白蝶

34.鄧氏胡頹子：高山粉蝶(請見春夏篇189頁)
35.馬兜鈴屬：曙鳳蝶、大紅紋鳳蝶、台灣麝香鳳蝶
36.馬齒莧：紫蛺蝶（請見春夏篇178頁）
37.玉葉金花：白三線蝶（請見春夏篇187頁）
38.疏花塔花：淡青雀斑小灰蝶（請見秋冬篇11頁）
39.薜荔：石牆蝶屬
40.葎草：蛺蝶屬（請見秋冬篇50頁）
41.滿天星：紫蛺蝶屬
42.三色堇類：豹紋蝶類
43.菲律賓堇菜:黑端豹斑蝶(請見春夏篇50頁)
44.匍堇菜（如意草）：黑端豹斑蝶（請見秋冬篇175頁）
45.空心菜：琉球紫蛺蝶
46.番藷：紫蛺蝶類
47.菝葜：大紅紋鳳蝶、琉璃蛺蝶（請見春夏篇78頁）
48.艾草：紅蛺蝶屬
49.大波斯菊：黑鳳蝶（請見秋冬篇64頁）
50.黃花酢醬草：小灰蝶（請見春夏篇76頁）
51.落地生根:台灣黑燕蝶(請見秋冬篇174頁)
52.石板菜：台灣黑燕蝶（請見春夏篇44頁）
53.火炭母草：紅邊黃小灰蝶、波紋小灰蝶（請見秋冬篇172頁）
54.羊蹄：紅邊黃小灰蝶
55.苧麻屬：細蝶屬
56.蕁麻科植物：豹斑蝶、蛺蝶、三線蝶類等
57.咬人貓：紅蛺蝶（請見秋冬篇15頁）
58.冬葵子：紫蛺蝶屬（請見秋冬篇139頁）
59.金午時花：紫蛺蝶屬
60.繡線菊屬：三線蝶屬、星點三線蝶
61.月桃：黑挵蝶屬（請見春夏篇184頁）
62.穗花山奈:白波紋小灰蝶(請見秋冬篇17頁)
63.馬藍：枯葉蝶（請見秋冬篇87頁）
64.玉山當歸：黃鳳蝶（請見春夏篇212頁）
65.馬利筋：大樺斑蝶、黑脈樺斑蝶（請見秋冬篇121頁）
66.毬蘭：台灣黑燕蝶（請見春夏篇113頁）
67.夜來香：黑脈樺斑蝶

蜜源植物

1.大頭茶：大紅紋鳳蝶、端紅蝶
2.油茶（苦茶）：曙鳳蝶
3.山素英：大綠挵蝶（請見春夏篇87頁）
4.深瓣女貞：緋蛺蝶
5.串鼻龍：紫端斑蝶、小紫斑蝶（請見春夏篇148頁）
6.石竹：淡紋青斑蝶、琉球青斑蝶
7.玉山石竹：中華褐挵蝶（請見秋冬篇94頁）
8.毛地黃：高山粉蝶、銀紋淡黃蝶（請見春夏篇121頁）
9.紫蘇草：荷氏黃蝶（請見春夏篇179頁）
10.倒地蜈蚣:台灣麝香鳳蝶(請見秋冬篇28頁)
11.百香果（西番蓮）：大綠挵蝶（請見春夏篇61頁）
12.絲瓜：黃蛺蝶、紫蛺蝶、小灰蝶、黑挵蝶
13.杜鵑：台灣麝香鳳蝶、烏鴉鳳蝶、紅點粉

蝶、黑挵蝶
14.紅毛杜鵑：白紋鳳蝶、台灣白紋鳳蝶、端紅蝶（請見春夏篇128頁）
15.山地豆：荷氏黃蝶（請見秋冬篇10頁）
16.紫雲英：台灣紋白蝶、荷氏黃蝶、大綠挵蝶（請見秋冬篇140頁）
17.濱刀豆：波紋小灰蝶（請見春夏篇172頁）
18.黃野百合：波紋小灰蝶(請見春夏篇103頁）
19.鳳凰木：銀紋淡黃蝶
20.毛胡枝子：波紋小灰蝶、銀斑小灰蝶（請見秋冬篇89頁）
21.葛藤：波紋小灰蝶、銀斑小灰蝶（請見春夏篇183頁）
22.長春花：樺斑蝶（請見秋冬篇122頁）
23.金銀花：大綠挵蝶、黑挵蝶
24.有骨消：多種鳳蝶、粉蝶、青斑蝶、紫斑蝶、蛇目蝶、豹斑蝶、三線蝶、細蝶、石牆蝶、雙尾燕蝶、小灰蝶等(請見春夏篇186頁）
25.柑橘類：柑橘鳳蝶、黑鳳蝶、烏鴉鳳蝶
26.大葉溲疏：高山粉蝶、蛺蝶、挵蝶、三線蝶（請見春夏篇89頁）
27.台灣溲疏：黃領蝶（請見春夏篇67頁）
28.龍葵：沖繩小灰蝶（請見秋冬篇170頁）
29.山煙草：黑擬蛺蝶（請見秋冬篇108頁）
30.鄧氏胡頹子：玉山蔭蝶(請見春夏篇189頁）
31.馬齒莧：琉球紫蛺蝶、沖繩小灰蝶（請見春夏篇178頁）
32.杜虹花：斑粉蝶、小紫斑蝶、緋蛺蝶、大綠挵蝶（請見秋冬篇20頁）
33.海州常山：曙鳳蝶、大紅紋鳳蝶、黑鳳蝶、端紅蝶、淡紅青斑蝶(請見春夏篇119頁）
34.金露華：多種鳳蝶、粉蝶、黃蝶、淡黃蝶、樺斑蝶、豹斑蝶、紫蛺蝶、小灰蝶、挵蝶等（請見春夏篇112頁）
35.馬纓丹：多種鳳蝶、粉蝶、淡黃蝶、荷氏黃蝶、樺斑蝶、青斑蝶、豹斑蝶、蛺蝶、三線蝶、小灰蝶、挵蝶等（請見秋冬篇141頁）
36.長穗木：鳳蝶、粉蝶、端紅蝶、淡黃蝶、樺斑蝶、紫斑蝶、蛺蝶、三線蝶、挵蝶等(請見秋冬篇72頁）
37.馬鞭草：台灣紋白蝶、黃三線蝶、琉球三線蝶
38.蔓荊：孔雀青蛺蝶（請見秋冬篇151頁）
39.雞屎藤：琉球青斑蝶（請見春夏篇185頁）
40.六月雪：黑點粉蝶、荷氏黃蝶
41.塔花：荷氏黃蝶、沖繩小灰蝶、埔里琉璃小灰蝶
42.仙草：埔里琉璃小灰蝶(請見秋冬篇69頁）
43.夏枯草：狹翅挵蝶（請見春夏篇138頁）
44.一串紅：大鳳蝶、狹翅挵蝶
45.青葙：角紋小灰蝶（請見秋冬篇46頁）
46.千日紅：樺斑蝶
47.堇菜科植物：黑端豹斑蝶
48.牽牛花屬：黑挵蝶
49.銳葉牽牛：白紋鳳蝶（請見春夏篇163頁）
50.白花藿香薊：台灣紋白蝶、紋白蝶（請見秋冬篇107頁）
51.紫花藿香薊：黃鳳蝶、台灣紋白蝶、紫端斑蝶（請見秋冬篇106頁）
52.白花香青:白波紋小灰蝶(請見秋冬篇67頁）
53.大花咸豐草：灰蝶、紋白蝶、紫粉蝶、黃蝶、樺斑蝶、青斑蝶、蛇目蝶、蛺蝶、細蝶、小灰蝶、挵蝶等（請見秋冬篇103頁）
54.咸豐草：灰蝶、紋白蝶、粉蝶、黃蝶、青斑蝶、蛇目蝶、蛺蝶、豹紋蝶、細蝶、小灰蝶、挵蝶等（請見秋冬篇102頁）
55.油菊：孔雀青蛺蝶（請見秋冬篇95頁）
56.法國菊：高山粉蝶、玉山蔭蝶、白鐮紋蛺蝶
57.薊屬：黃紋粉蝶、紅點粉蝶、荷氏黃蝶、大綠挵蝶
58.大波斯菊：琉球紫蛺蝶(請見秋冬篇64頁）
59.鱧腸：台灣紋白蝶、沖繩小灰蝶（請見秋冬篇116頁）
60.毛蓮菜：小紫斑蝶
61.紫背草：台灣黑燕蝶（請見秋冬篇105頁）

62.昭和草：寬青帶鳳蝶、紋白蝶、黃蝶、青斑蝶、蛇目蝶、蛺蝶、小灰蝶、挵蝶等（請見春夏篇57頁）
63.野桐蒿：狹翅挵蝶（請見秋冬篇142頁）
64.台灣澤蘭：姬小紋青斑蝶、狹翅黃挵蝶、狹翅挵蝶（請見秋冬篇77頁）
65.天人菊：無尾鳳蝶、台灣黃蝶（請見春夏篇170頁）
66.鼠麴草：台灣紋白蝶、沖繩小灰蝶、台灣黑燕蝶（請見春夏篇54頁）
67.兔兒菜：雌白黃蝶、角紋小灰蝶、台灣黑燕蝶（請見春夏篇39頁）
68.刀傷草：斑粉蝶、紅點粉蝶、紅蛺蝶（請見春夏篇116頁）
69.山萵苣：狹翅黃星挵蝶(請見秋冬篇104頁)
70.台灣款冬：紅邊黃小灰蝶（請見秋冬篇131頁）
71.玉山黃菀：玉山蔭蝶、永澤蛇目蝶、阿里山琉璃小灰蝶（請見春夏篇210頁）
72.黃菀：大紅紋鳳蝶、紅點粉蝶、樺斑蝶、青斑蝶、蔭蝶、蛺蝶等（請見秋冬篇98頁）
73.蔓黃菀：孔雀青蛺蝶、琉璃波紋小灰蝶（請見秋冬篇93頁）
74.一枝黃花：小青斑蝶（請見秋冬篇30頁）
75.蒲公英：黑端豹斑蝶、紅蛺蝶
76.長柄菊：斑粉蝶、紅點粉蝶、台灣黃蝶、角紋小灰蝶（請見秋冬篇57頁）
77.黃鵪菜：台灣黑燕蝶（請見春夏篇38頁）
78.百日草：無尾鳳蝶、樺斑蝶、琉球紫蛺蝶
79.黃花酢醬草：台灣紋白蝶、紋白蝶、沖繩小灰蝶（請見春夏篇76頁）
80.紫花酢醬草：台灣紋白蝶、紋白蝶、沖繩小灰蝶（請見春夏篇75頁）
81.九重葛：黑脈樺斑蝶
82.山葡萄：曙鳳蝶、琉球青斑蝶、小波紋蛇目蝶、緋蛺蝶、埔里琉璃小灰蝶、大綠挵蝶（請見春夏篇111頁）
83.火炭母草：鳳蝶、蛺蝶、三線蝶、小灰蝶、黑燕蝶等（請見秋冬篇172頁）
84.虎杖：樺斑蝶、黑脈樺斑蝶、玉山蔭蝶、永澤蛇目蝶（請見春夏篇203頁）
85.扶桑：鳳蝶類、端紅蝶、淡黃蝶、蛺蝶、挵蝶等
86.山芙蓉：雌白黃蝶（請見秋冬篇118頁）
87.金午時花：鸞褐挵蝶
88.蛇莓：荷氏黃蝶、黃蛺蝶（請見秋冬篇133頁）
89.高山薔薇：山中波紋蛇目蝶、淡青雀斑小灰蝶、黑紋挵蝶（請見春夏篇127頁）
90.玉山懸鉤子：台灣小波紋蛇目蝶、緋蛺蝶（請見春夏篇157頁）
91.台灣懸鉤子：台灣小波紋蛇目蝶（請見春夏篇154頁）
92.紅梅消：玉帶挵蝶（請見春夏篇60頁）
93.台灣繡線菊：高山粉蝶、玉山蔭蝶、白鐮紋蛺蝶、星點三線蝶、埔里琉璃小灰蝶（請見春夏篇125頁）
94.台灣笑靨花：達邦琉璃小灰蝶（請見春夏篇65頁）
95.爵床：粉蝶、黃蝶、蛺蝶、小灰蝶、黑燕蝶（請見春夏篇74頁）
96.長花九頭獅子草：黑點粉蝶、台灣黑燕蝶（請見秋冬篇157頁）
97.水芹菜：黑擬蛺蝶（請見春夏篇110頁）
98.馬利筋：鳳蝶、樺斑蝶、豹斑蝶（請見秋冬篇121頁）

花色索引

花色索引是為了方便初學者在無法辨識該野花的科別或名稱的情況下，所設計的簡易查對方法。使用此索引時，請注意下列事項。

1. 具多種顏色的野花，選其最主要或最醒目的顏色為索引。
2. 有時因個別差異或在不同的環境下，同一種野花的顏色也會略有變化（特別是紅色系與紫色系的花），可嘗試在相似色系裡尋找。
3. 為了清楚辨識花的形狀，攝影多以特寫鏡頭呈現，與花朵實際的大小不同。

❶❷代表台灣野花365天春夏篇．秋冬篇

白

苦蘵 P.040❶

小團扇薺 P.042❶

台灣胡麻花 P.058❶

西番蓮 P.061❶

台灣笑靨花 P.065❶

台灣溲疏 P.067❶

濱當歸 P.073❶

細梗絡石 P.179❷
日本女貞 P.189❷
狹瓣八仙花 P.190❷
台灣馬醉木 P.191❷

黃

黃鵪菜 P.038❶
兔兒菜 P.039❶
毛茛 P.041❶
石板菜 P.044❶
鼠麴草 P.054❶
苦滇菜 P.056❶
西洋蒲公英 P.069❶
台灣蒲公英 P.070❶
台灣假黃鵪菜 P.072❶
黃花酢醬草 P.076❶
豨薟 P.102❶
黃野百合 P.103❶
刀傷草 P.116❶
川上氏小蘗 P.126❶
台灣金絲桃 P.103❶
俄氏草 P.146❶
台灣排香 P.152❶
雙黃花堇菜 P.159❶
玉山小蘗 P.160❶

蓬萊珍珠菜 P.171❶
馬齒莧 P.178❶
玉葉金花 P.187❶
黃花鳳仙花 P.190❶

大甲草 P.193❶
蒺藜 P.194❶
雙花金絲桃 P.196❶
玉山龍膽 P.208❶

玉山黃菀 P.210❶
南湖大山碎雪草 P.219❶
雪山翻白草 P.220❶
細葉金午時花 P.008❷

圓葉金午時花 P.009❷
山林投 P.022❷
裂葉月見草 P.025❷
薊罌粟 P.026❷

一枝黃花 P.030❷
玉山金絲桃 P.031❷
玉山佛甲草 P.032❷
玉山毛蓮菜 P.033❷

黃花鼠尾草 P.039❷
菜欒藤 P.53❷
香葵 P.054❷
長柄菊 P.057❷

益母草 P.043❶
列當 P.046❶
濱蘿蔔 P.047❶
血藤 P.053❶
昭和草 P.057❶
烏來杜鵑 P.059❶
紅梅消 P.060❶
戟葉蓼 P.066❶
金毛杜鵑 P.068❶
爵床 P.074❶
紫花酢醬草 P.075❶
小毛氈苔 P.080❶
台灣土黨參 P.083❶
西施花 P.085❶
八角蓮 P.091❶
棣慕華鳳仙花 P.092❶
台灣一葉蘭 P.096❶
水竹葉 P099❶
山珠豆 P.105❶
落葵 P.107❶
酸藤 P.115❶
波葉山螞蝗 P.117❶
毛地黃 P.121❶

紫

葛藤 P.183❶
鴨舌草 P.195❶
蔓烏頭 P.198❶
單花牻牛兒苗 P.201❶
玉山山蘿蔔 P.211❶
阿里山龍膽 P.216❶
奇萊烏頭 P.217❶
南湖大山柳葉菜 P.218❶
疏花塔花 P.011❷
狗尾草 P.016❷
白英 P.019❷
倒地蜈蚣 P.028❷
長葉繡球 P.029❷
玉山水苦蕒 P.035❷
蝶豆 P.047❷
黃荊 P.048❷
台灣狗娃花 P.052❷
紫花鳳仙花 P.065❷
仙草 P.069❷
長穗木 P.072❷
長葉茅膏菜 P.079❷
馬藍 P.087❷
毛胡枝子 P.089❷
山油點草 P.090❷

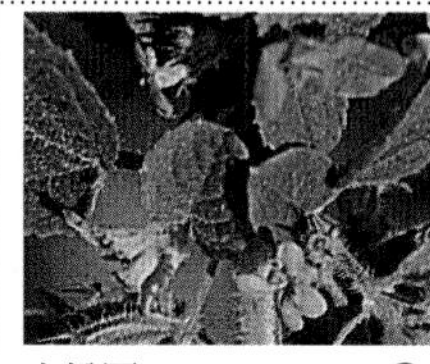

藍

學名索引

M

N

O

P

R

S

T

U

V

W

X

Y

中名索引

一劃

二劃

三劃

四劃

五劃

六劃

七劃

八劃

九劃

十劃

十一劃

十二劃

十三劃

十四劃

十五劃

十六劃

十七劃

十八劃

十八劃以上

大樹經典
自然圖鑑系列
10

A FIELD GUIDE TO WILD FLOWERS OF TAIWAN IN AUTUMN & WINTER

台灣野花365天 秋冬篇

◎出版者／遠見天下文化出版股份有限公司
◎創辦人／高希均、王力行
◎遠見．天下文化．事業群 董事長／高希均
◎事業群發行人／CEO／王力行
◎天下文化社長／總經理／林天來
◎國際事務開發部兼版權中心總監／潘欣
◎法律顧問／理律法律事務所陳長文律師
◎著作權顧問／魏啟翔律師
◎社址／台北市 104 松江路 93 巷 1 號 2 樓
◎讀者服務專線／（02）2662-0012
◎傳真／（02）2662-0007；2662-0009
◎電子信箱／ cwpc@cwgv.com.tw
◎直接郵撥帳號／ 1326703-6 號 遠見天下文化出版股份有限公司

◎撰　文／張蕙芬．張碧員
◎攝　影／呂勝由
◎插　畫／陳一銘．傅蕙苓
◎編輯製作／大樹文化事業股份有限公司
◎總編輯／張蕙芬
◎內頁設計／徐偉
◎封面設計／黃一峰

國家圖書館出版品預行編目資料

台灣野花365天. 秋冬篇 A Field Guide to Wild Flowers of Taiwan in Autumn & Winter / 張蕙芬、張碧員撰文；呂勝由攝影；陳一銘、傅蕙苓插畫 -- 第一版. -- 臺北市：天下遠見, 2006[民95]
面；21×29.7公分. --（大樹經典自然圖鑑系列；10）
ISBN 978-986-417-802-5（精裝）
1. 種子植物 — 台灣

376　　95020250

◎製版廠／黃立彩印工作室
◎印刷廠／吉鋒彩色印刷股份有限公司　◎裝訂廠／精益裝訂股份有限公司
◎登記證／局版台業字第 2517 號
◎總經銷／大和書報圖書股份有限公司 電話／（02）8990-2588
◎出版日期／ 2006 年 11 月 10 日 第一版
2019 年 6 月 10 日 第一版第 10 次印行
◎ ISBN-13：978-986-417-802-5　◎ ISBN-10：986-417-802-4
◎書號：BT1010　◎定價／ 650 元
天下文化官網 bookzone.cwgv.com.tw